心洗われる古今の名作22選

名作が教える幸せの見つけ方

鈴木秀子
Suzuki Hideko

致知出版社

まえがき

名作とは、世に出て五十年を経て、なお人の心に響く作品のことを指すといわれています。実際に名作と呼ばれるものは長い歳月の中で多くの人の目に晒《さら》されながらも、それに堪《た》えて命を保ち続けてきた作品ばかりです。

そうして命を保ち続けた名作は時間と空間を超えて、想像を超えた世界へと読者を誘《いざな》い、新たな世界を体験させてくれます。読者はそれによって生き方への深い洞察と視点を得るのです。

私たちは人生の中で同じ名作に何度も触れ、読み返すことがあります。名作はその度に一人ひとりの心と向き合ってくれます。おそらくは積み重ねてきた体験や、その時置かれている環境によって響く内容も言葉も変わってくることでしょう。

とりわけ名作がいつも以上に力強く心を押し返してくる感覚があるとしたら、それは読者が何らかの苦悩と向き合っている時かもしれません。苦しみの中にあって名作と静かに対峙《たいじ》する時、そこに綴《つづ》られた何気ない言葉や文章が人間としての深みや知恵、生きていく上での大きな力を与えてくれるはずです。それもまた名作ならではの力なのだと思います。

名作は人間の中にある様々な一面を炙《あぶ》り出してくれます。それは人間の輝かしい部分ばかりではありません。むしろ、多くの作家は人間の内面に潜む醜さや弱さ、苦悩を容赦なく炙り出そうとします。読者はそういう人間の醜く弱い一面に触れ、自身の心と重ね合わせることによって「人間には誰にでも悪に傾きかねない一面を持ち合わせている」という深い人間理解に至るのです。

人生で予期せぬ出来事に遭遇し、受け容れ難い現実を受け容れざるを得ない状況に立たされた時、大きな力を与えてくれるのも、やはり名作と呼ばれるものです。

私はそのことで思い出す人がいます。学生時代に近代文学を教えていただいた国文学者の三好行雄先生（東京大学国文科で初めての近代専攻の教員）です。先生は若い頃に召集され、大きな航空母艦の食事係をされていました。朝食に用意した丼が夕食時に減っていく様子を通して、人間の死を深く見つめられたそうです。そして、この戦争体験は先生の人生に大きな転機をもたらしました。それまで理系の道に進もうと考えていらっしゃったにもかかわらず、文学部に入り直して文学、とりわけ芥川龍之介の作品を研究するようになられたのです。

芥川の作家人生は毎日が生きるか死ぬかの真剣勝負でした。人間にとって何が生きがいなのか、生きる意味はどこにあるのかというテーマを繊細に、かつ命懸けで求めていきました。三好先生はそういう限界状態の中で数々の名作を残した芥川の姿にご自身の姿を重ね合わせられていたに違いありません。先生にとって芥川が残した数々の作品は、自身の苦悩を受け容れるための何よりの力だったのです。

文学に特定の答えはありません。捉え方は人それぞれであり、そうあってこそ文学の意味があります。この本を手にとってくださる皆様が、ここに紹介した二十二篇の作品や私の解説を呼び水としてご自分なりに何かを感じ取っていただけたら幸いです。そして、この本をきっかけにして生きる支えとなる名作に一作でも多く触れていただけたら、これにまさる喜びはありません。

名作が教える幸せの見つけ方＊目次

第三章＊よりよき人生の心得

第四章＊心をひらく

第五章＊誰かのために　―愛と祈り―

装幀・本文デザイン――スタジオ・ファム
帯写真――齊藤文護
装画・挿画――中村美濃
編集協力――柏木孝之

第一章＊悲しみの底に光がある

のど赤き
玄鳥ふたつ屋梁にゐて
足乳根の母は
死にたまふなり

＊…………斎藤茂吉『赤光』

茂吉の歌に人生のヒントをみる

歌人・斎藤茂吉《もきち》（一八八二〜一九五三）の出世作となった『赤光《しゃっこう》』という歌集があります。大正二（一九一三）年、茂吉が三十一歳の時のもので、そこに収録された「死にたまふ母」と名付けられた一連の歌は広く知られていますから、ご存じの方も多いことでしょう。

茂吉の生母いくは同年春、山形で亡くなっています。茂吉は母の死期が近いと聞いて急いで故郷に駆けつけ、看病し、その死を看取《みと》り、最後には悲しい現実を受け入れて、そこから新しい一歩を踏み出しました。

「死にたまふ母」はそういう茂吉の心の情景が美しく繊細な表現で描かれた作品ですが、これらの歌をしみじみと味わってみると、それはただ母親を看取った歌というだけではなく、私たちが生きていく上で様々な問題に遭遇した時の心の持ち方や解決のヒントが隠されていることに気づかされると思います。


私たちは時として「なんでこのような試練が自分に降りかかるのだろう」と思う出来事に遭遇します。目の前に立ちはだかる大きな壁に誰しも心が動揺し、現実を否定したいという衝動に駆られ、全身の力が萎《な》えていくのを感じることでしょう。

しかし、この苦悩が人間の力ではいかんともしがたいものであることに思いを定め、それを受け入れようと心を決めた時、少し時間はかかったとしても、いつしか心が癒《い》やされ、新たに人生を歩み出す勇気が湧くのです。

茂吉の歌を時系列に辿《たど》りながら、私たちも経験するであろう心情の変化を味わってみたいと思います。

死ぬなどありえない。生き抜いてほしい

みちのくの母のいのちを一目見ん一目見んとぞただにいそげる

ははが目を一目を見んと急ぎたるわが額《ぬか》のへに汗いでにけり

母親が重篤《じゅうとく》だという一報を聞いて、急いで汽車に乗り込み「母が死ぬなどありえない。どうか生き抜いてほしい」と逸《はや》る気持ちを抑えて必死に祈り続ける茂吉の姿が窺《うかが》えます。三十一字の歌に、厳しい現実を目の前に突きつけられた時の心の動揺がありありと描写されています。

しかし、そういう人生を変えるほどの深刻な苦悩を駅や汽車ですれ違う人は理解できようはずもなく、茂吉の姿はなんでもない一人の旅人に映るのです。苦悩を抱える

人の孤独は深まっていきます。

灯《ともし》あかき都をいでてゆく姿かりそめの旅と人見るらんか

吾妻《あづま》やまに雪かがやけばみちのくの我が母の國に汽車入りにけり

故郷に到着するや、茂吉は一目散に母親の元へと駆けつけました。

はるばると薬をもちて来しわれを目守《まも》りたまへりわれは子なれば

茂吉は歌人であるとともに医者でした。東京から持参した薬を母親に与え、精いっぱいの孝行を尽くそうとする茂吉。そこにあったのは社会的地位を得た医師が患者に治療を施す姿ではなく、幼い子供が母親を慕い、母親が子供を温かい眼差《まなざ》しで見つめている姿でした。「われは子なれば」という言葉に、母親への溢れんばかりの思いを感じ取ることができるはずです。

この歌からも目の前の現実をなんとか変えたいという必死の思いが伝わってくるようです。

現実を受け入れ、宇宙の計らいを知る

山いづる太陽光を拝みたりをだまきの花咲きつづきたり

母親の快癒を一心に願う茂吉が、自分を超えた大自然という大きな存在に心が向き始めたことを感じさせる歌です。

それまでは「現実を変えたい」という一念だったのが、死は避けられない現実であり、人間の力ではいかんともしがたいものだと気づいたのがこの頃ではないでしょうか。

死に近き母に添寝《そいね》のしんしんと遠田《とおだ》のかはづ天に聞ゆる

もはや助かりようのない母親の傍《そば》にいて、最後の時間を共有する茂吉の姿がそこにはあります。避けられない現実を受け入れようと静かに決意を固めようとしているようにも思えます。田んぼの蛙の声が宇宙まで広がっている感覚に包まれながら、母の命もまた、人間を超える大宇宙からの賜り物であることを感じるのです。

死に近き母が額を撫《さす》りつつ涙ながれて居たりけるかな

人間は苦難に遭った時、涙を流すのはとても大切です。涙によって様々な思いが洗い流され、いつの間にか心が整理されていくからです。「お母さん、死なないで」と慌てふためくこともなく、亡くなる前の母親と涙ながらに向き合う中で茂吉の心も整理されていったのでしょう。

そして、いよいよ母親が臨終を迎えた時、幼少期からの懐かしい多くの思い出が蘇《よみがえ》り、愛と感謝が一気に溢れ出てきます。その言葉に言い尽くせない思いを歌にこう託しました。

我が母よ死にたまひゆく我が母よ我を生まし乳足《ちた》らひし母よ

やがて母親は静かに息を引き取ります。辛《つら》く悲しい現実ですが、この時すでに茂吉は現実を受け入れる覚悟ができていました。

のど赤き玄鳥《つばくらめ》ふたつ屋梁《はり》にゐて足乳根《たらちね》の母は死にたまふなり

玄鳥とはツバメの一種でその躍動感ある動きを茂吉は命の象徴と捉えています。その玄鳥が屋梁に二羽仲良く座っている静かな情景を眺めながら、「ああ、母は亡くなってしまったのだな」という感慨がしみじみとこみ上げてきたのです。

極限に達した時、その苦難から抜け出す

いのちある人あつまりて我が母のいのち死行《しゅ》くを見たり死ゆくを

私たち人間は例外なく死を体験する日が訪れます。生きている人は亡くなり、また次世代の人たちが新しい歴史を支えていく。人類の歩みはその繰り返しです。この歌は「いのち」という言葉を中心に生と死というものが対照的に描かれていて、実に味わい深いものがあります。

と同時に、普段は感じなくても、こうして「いのち」が与えられているのは当たり前ではないという厳粛な気持ちに駆られるのではないでしょうか。

ひとり来て蠶《かいこ》のへやに立ちたれば我が寂しさは極まりにけり

母も作業をしていたであろう蠶の部屋に一人でいると、懐かしさがこみ上げて茂吉の寂しさは極限に達します。

苦しい状況に直面した時、安心できる誰かと励まし合うのもいいでしょうが、辛《つら》さを一人で受け止めて味わうのはとても大切です。そうやって心が極限に達した時、人間はそこから抜け出ることができるのです。それは海で溺れた人が、海底に足がついた途端、海上に引き上げられるのととてもよく似ています。

ここで大切なのは「悲しくない」などと自分の心を誤魔化《ごまか》したりせず、その時の感情をしっかりと味わうことです。そうしないと後々まで尾を引きがちです。

次の三つの歌は、そういう耐え難い寂しさや苦しみを胸に抱きつつ、母親との最後の別れに臨む姿が描かれています。後半の「入れしまひけり」という言葉は、遺骨だけでなく自分の心もしっかりと収めたという覚悟のようにも解されます。

星のゐる夜ぞらのもとに赤赤とははそはの母は燃えゆきにけり

さ夜ふかく母を葬《ほう》りの火を見ればただ赤くもぞ燃えにけるかも

蕗の葉に丁寧にあつめし骨くづもみな骨瓶《こつがめ》に入れしまひけり

母の死と正面から向き合い、それを受け入れた茂吉の心には、次第に安らぎの心が芽生え始めました。

次に紹介する三つの歌を味わっていただけたら、心境の変化がよくお分かりになると思います。

酸《す》き湯《ゆ》に身はかなしくも浸りゐて空にかがやく光を見たり

火のやまの麓《ふもと》にいづる酸《さん》の湯に一夜ひたりてかなしみにけり

やま峡《かい》に日はとっぷりと暮れゆきて今は湯の香《か》深くただよふ

「空にかがやく光を見たり」という言葉には苦しみを乗り越えた後に見出した一点の光明を、「湯の香深くただよふ」という言葉からは、闇のような心の中に静かに漂い始めた希望を感じ取ることができます。

自分を労りながら、苦しみを受け入れる

茂吉の歌を私たちの人生と照らし合わせてみてきましたが、人間はこのようなプロ

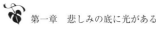

セスを経ながら苦しみを克服していくのだと考えれば、心が楽になるのではないでしょうか。

苦しい現実にぶつかった時、それを受け入れるまでには少し時間がかかるかもしれません。その時はおいしい物を食べたり、ゆっくり睡眠をとったりして自分を労《いたわ》りながら、辛さを味わうことが大切です。「日薬《ひぐすり》」という言葉がありますが、時間の経過とともに自分が成熟していることを感じ取ってください。

物事を悪いほうに悪いほうに考えれば、ますます苦悩は耐え難いものになります。忘れてはならないのは、私たちは皆大きな計らいによって生かされている存在だということです。だとしたら、いずれいい結果が訪れることは明らかです。苦難は自分を成長させてくれるチャンスであると私は確信しています。

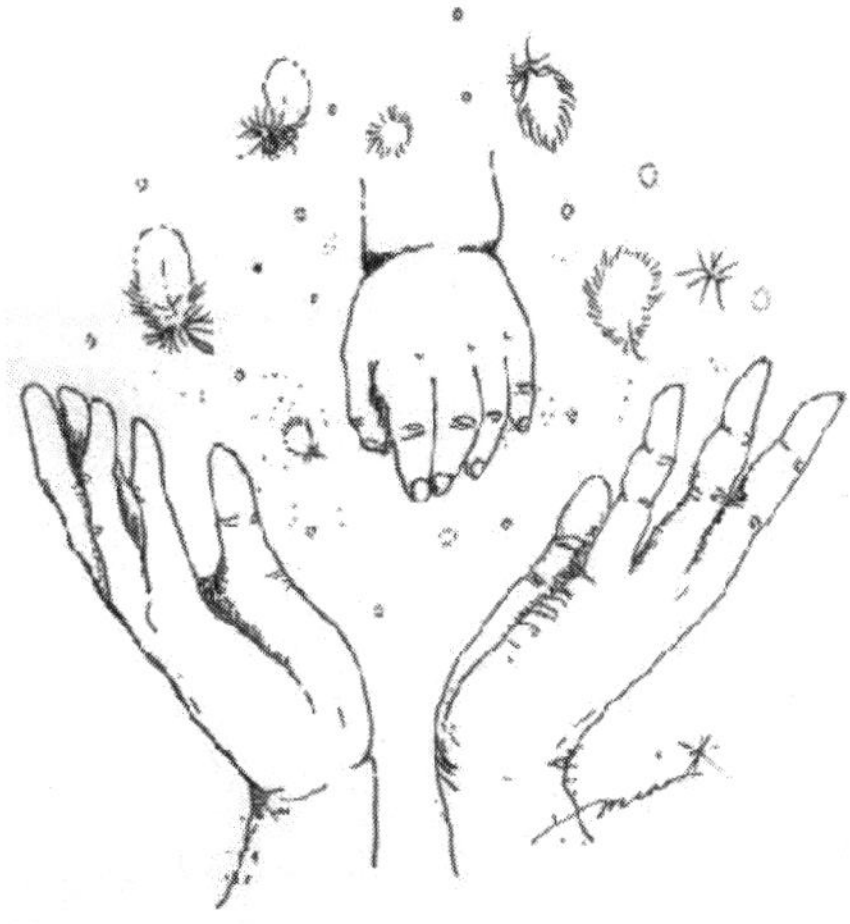

「どういうわるいところへ入れられても、そこでありったけの力で生きていく。これが花のこころ。花のいのちです。」

＊…………中野重治『菊の花』

牢獄生活を支えてくれた小さな花たち

今回取り上げるのは中野重治（一九〇二～一九七九）の小説『菊の花』です。中野は戦前、プロレタリア文学運動に参加したことで検挙され、厳しい牢獄生活を送っていた時期がありますが、この作品はその時の体験に基づいたものです。

この小説の主人公は子供の頃から花、分けても野原や道端に咲いているスミレやキンポウゲ、ツユクサなどが大好きでした。大人になってからも忙しい仕事の合間に夜店の草花屋の花を眺めたり、道端に咲く花を見たりすることが楽しみでした。

ところが、思想犯として牢獄に入れられると、それさえも見られなくなりました。主人公は平生《へいぜい》はそれほどでもなかったのに、友達に逢《あ》いたいと思うのと同じように、花に逢いたいという強い衝動に駆られます。ある日、彼は運動場の隅に咲いている美しいカタバミの花を見つけました。その時の嬉しさは、非常なものでした。そして運動場を回る度に「や、カタバミくん！」と声を掛けます。

カタバミは誰も目に留めないような小さな花ですが、牢獄という無機質な環境で孤独に生きる主人公は、いつしかカタバミと生命の交流を続けるようになっていたのです。


季節が秋から冬に変わるとカタバミの花びらは散ってしまい、やがて茎も葉も見えなくなって、その跡にはきらきらする霜柱が立つようになりました。

牢獄の主人公に差し入れがあったのは、そんな時でした。母親が黄菊《きぎく》と白菊を牛乳の空き瓶に挿して持ってきてくれたのです。主人公は高い窓から射してくる室内の日だまりが移る度に瓶を動かし、菊の花に日光がこぼれかかるようにして愛情を注ぎます。

しかし、いくら日光に当たるようにしても花びらは日を追うごとに黒ずんでいき、水を取り替えても花は小さくなるばかりでした。

とうとうある日花が私に問いかけた。

「おじさん。」

菊の花は小さくかじかんだ首をかしげて私に訊《き》いた。「なんで私はこんなところに入れられたのでしょう？　ここでは温かい日の光りがさしてきません。ここは一日じゅう暗い。新しい風にさわられることがありません。夜、葉に霜がおかないで、朝、掃除のほこりがたまります。地面から水を吸うこともできません。どうしたのでしょう？　私は土にさわりたい……」

「菊さんよ。」

と私はいった。

「お前をこんなところへ入れたのは私のおっかさんだ。おっかさんは、お前を、私をなぐさめるために入れたのです。」

「なぐさめるためにですって？　なんででしょう？　いったい、おじさんは、なんでこんな暗いところに黙って坐《すわ》っているんです？　私は一分も早く外へ出て行きたい。おじさんは出たくないいんですか？」

「私がどんなに外に出たいか」と私は答えた。「それは菊さん、お前とすこしも変りがない。」

この場面は主人公と菊との対話という設定ですが、菊が発する言葉が主人公の心の内面であることは言うまでもありません。絶望の極限に立たされている主人公に、もう一人の自分が語りかけているのです。

この主人公に限らず、私たちは人生の中で病気や事故、失業など大きな試練に直面することがあります。そのことに対して怒りや反発を覚えることもあるでしょう。しかし、いくら感情を露《あら》わにしたところで、逃げ出すことはできません。ある種の鬱状態に陥っていく主人公ですが、菊によって照らし出される自己の内面と向き合うことによって、やがてある大切なことに気づくようになります。

小さな世界に無限の価値を見出す

それから私たちはいろいろの話をした。そのうち私は、こないだうちから聞こう聞こうと思っていたことを思い出した。

「ところで菊さんよ。」と私はきいた。「風や水や日光が足りないので、お前の美しい花が日ごとに小さくなっていく。それで私は最初、お前さんの元気がなくなっていくのかと思った。しかし見ているとそうではない。花の形は小さくなっていくが、お前さんの美しさはますます立派になっていく。一つ一つの花びらは研《と》ぎ出したように光沢をおびている。それはどういうのだろうね？」

すると菊の花が答えた。

「それが花のこころです。」

それからも菊の花は、ますます小さくなりながら、ますますかおり高く咲きつづけた。

「どういうわるいところへ入れられても、そこでありったけの力で生きていく。これが花のこころ。花のいのちです。」

蕾《つぼみ》はつぎつぎに、わずかな日の光りと水とのなかで象牙《ぞうげ》のように立派に咲いていった。一つの蕾ものこらずみんな花に咲いた。私はそのことを、私のからだの小さいおっかさんに手紙に書いた。


『菊の花』の最後は、以上のような文章で結ばれています。どのような悪辣《あくらつ》な環境であったとしても、そこで精いっぱい生きていこうという「花のこころ」。それは自分ではどうしようもない現実を受容して乗り越えていく主人公の姿そのものであることに気づかされるはずです。

枯れる寸前の状態にあったとしても精いっぱい自分の花を咲かせる花の美しさ、命の力に、主人公は牢獄生活を生き抜こうとする自身の姿を重ね合わせるのです。

この小説に描かれているのは、すべて小さい世界です。狭隘《きょうあい》な牢獄、小さいカタバミや菊の花、小さな日だまり、さりげない母親への手紙……。しかし、主人公は誰も気に留めないような小さな世界に無限の価値を見出しているところに、この小説の面白さと深い味わいがあります。

生きるということは、自分が置かれているいまこの一瞬一瞬を味わい、そこに秘められている無限の価値を見出すことに他なりません。道端に咲いている一輪の名もないような花であっても、感性の優れた人たちは宇宙の愛や美、叡智《えいち》を感じ取ることができます。そして、その何気ない一コマから大きな喜びや幸福感を得るのです。すべては受け取る側の心一つであることを教えられます。

優れた文学作品は、そういう真理を忘れてしまう私たちに、幸せとは何かという人生の命題を呼び醒《さ》ましてくれる力を持っています。『菊の花』もその作品の一つなのではないでしょうか。

すべての命は深いところで繋がっている

私は『菊の花』をある文学の勉強会で取り上げたことがあります。その会に参加したある男性が、仕事をリタイアした後に行ったスペイン巡礼での興味深い体験談を皆の前で紹介してくれました。

巡礼とは神や自分と向き合う孤独な一人旅です。男性は黙々と歩き続けるうちに、自分の内面が、まるで外から響いてくる言葉のように語りかけるという、この小説の主人公と同じ不思議な体験をしたというのです。

彼はその声を聞く度に「ああ、自分は深いところで、こういうことを考えていたのか」と驚き、一方で日常の感覚に戻って怒りや喜びなどの感情に振り回されている自分の姿も見ました。そして、巡礼が終盤に近づくにつれ、さりげない出来事にも深い意味があるのだという感覚が研ぎ澄まされていき、最後にはとても大きな感謝の念が湧いてきたといいます。

巡礼が終わった後は、着ていた衣服や持ち物をすべて焼却するのですが、燃やし終わった後に襲ってきたのが「この長い巡礼に何の意味があったのだろうか」という空虚感のようなものでした。しかし、その感覚はほどなく消え去り、「人生は巡礼と同じで、日常で起きるいろいろな出来事を体験しながら、心の深いところから湧き起こってくる知恵に静かに耳を傾けることである」という思いが込み上げてきたというのです。

もう一人、これは別の男性ですが、やはり定年退職後に四国遍路に行った知人がいます。歩き始めて数日後、彼は山中で道に迷ってしまいます。川に沿って下れば人里に着くだろうと、危険な道なき道を夜を徹して歩き続け、東の空が白んできた時にようやく里に辿り着くことができました。

たんぼ道を歩いていると、一人のお婆さんが近づいてきて男性の手のひらに少しの米粒を置いて、丁寧にお辞儀をした後、何も言わずに立ち去っていきました。彼は命が助かったことのありがたさを噛み締めながら、安堵《あんど》感からか、お婆さんが渡してくれた米粒を手のひらにのせたまま、しばらくはその場にじっと立っていました。

すると驚いたことに、どこからともなく小鳥たちが集まってきて男性の肩に留まり、手のひらの米粒をついばみ始めたというのです。小鳥たちに男性を恐れる雰囲気は少しもなく、完全に安心しきった様子でした。それは考えられないような情景でした。

この時、男性は「小鳥も米粒もお婆さんも自分も、すべては一体なんだ」「命は人間や動物というような垣根を越えて、すべて深いところで繫《つな》がっているんだ」「お互いがお互いを支え合っているんだ」という思いが心の奥底から込み上げてきたといいます。

私はかつて修道院の階段から落ちて臨死体験をした時、すべての生命が一体であるという神秘的な感覚を得たことがあり、それがいまのコミュニオン活動を始めるきっかけとなりましたが、男性もきっと同じような感動を味わったに違いありません。

後日談ですが、ある時、人の手のひらに鳥が留まっているブロンズ像を見つけて買い求め、男性にプレゼントしたことも私のいい思い出です。

ここで紹介した二人の男性はともに巡礼という体験をとおして、生涯忘れ難い宝を手にすることができました。いま目の前に起きている出来事から人生の深い知恵を学ぶこと、五本の指が手のひらで繋がっているように、すべての命は深いところで皆繋がっていると自覚しながら生きることは豊かな人生を送る上では、とても大切なことなのです。

日常の出来事に追われる中、そのような世界に思いを馳《は》せてみるのは意義深いことだと思います。

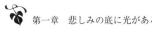

いまではわたしは思うよ、トオル、おまえの息子は、とうとうおまえの祝福になったのだ

＊…………ビョルンソン『父親』

世も羨むような恵まれた境遇の中で

ノーベル文学賞を受賞したノルウェーの作家・ビョルンソン（一八三二〜一九一〇）に『父親』という作品があります。この短い作品に描かれているのは、誰もが人生において体験する可能性を秘めた出来事です。

この物語の主人公は、その教区でいちばん有力者の、トオル・エヴェロオスという

男である。

ある日、彼が、ひどくあらたまった、ほこらかな顔をして、牧師の書斎にあらわれた。

「男の子ができましたんで、洗礼していただきたいのです」と、彼はいった。

「名前はなんとつけるね？」

「わたしの父親の名をとって、フィンとしてください。」

「で、名づけ親は？」

名前があげられたが、それはいずれも男のがわの親戚にあたる、この教区第一の男女たちであった。

（中略）

そこで牧師は立ち上がって、「では」といってトオルに近づき、その手をとってじっと男の目をみつめて、いった。

「神の御恵《おめぐ》みで、その子がいつかおまえの祝福となるように！」

主人公のトオルは、権力も財力も持ち合わせ、世も羨《うらや》むような恵まれた境遇の男性です。その上、可愛い男の子まで授かり、洗礼の相談で牧師の元を訪れます。まさに幸福の絶頂といえましょう。

トオルはその後も、息子の成長の節目を迎える度に牧師を訪ねますが、二人の会話を通じて、変わらぬ幸福ぶりが窺《うかが》えます。

その日から十六年後に、ふたたびトオルが牧師の部屋に立った。

「元気のようだね、トオル」と、彼が少しもかわらないのを見て、牧師はいった。

「はあ、わしには心配というものがないで」と、トオルは笑った。

（中略）

「今夜の用事はなんだね？」

「今夜は、あした堅信礼《けんしんれい》をうける息子のことで参上しました。」

「あれはりっぱな若者じゃないか。」

「せがれが教会で何番の席をもらうか、それを聞かしていただくまでは、牧師さんにもお礼をさしあげられませんわい。」

「あの子が一番だよ。」

「それで安心しました――さあ、これがお礼の十ターレルです。」

(中略)

またもや八年の月日が流れた。と、ある日牧師の書斎の前でさわがしい物音がした。大勢の男がやって来たのである。トオルがその先頭に立っていた。牧師は目をあげて、彼をみとめると、いった。

「今夜は大勢ひきつれて来たね。」

「息子の婚約のひろめをしたいのです。あれはここにいるグドムンさんの娘のカーレン・ストールリエンと結婚するわけで。」

「そりゃ、教区一番の財産持ちの娘じゃないか。」

与えられた真の祝福

我が世の春を謳歌《おうか》するトオル。ところがある日突然、予期せぬ出来事に見舞われます。

それから半月後、父と子は、あるおだやかな日に、ストールリエンへと水の上をこいで行った。式の日取りをうちあわせるためである。「ぼくの腰掛《こしかけ》はどうもぐらぐらする。」と息子はいって、それを据えなおすために立ち上がった。そのとたんに彼の踏んでいた板がすべった。彼は両腕をばたばたやって、一声叫びを上げたなり、水の中にころげ落ちた。「櫂《かい》につかまれ！」父親は叫んで跳び上がると、櫂を息子のほうにつきだした。しかし、息子の手は二、三度それをつかもうとしたまま、こわばってしまった。「ちょっと待ってろ！」と父親はさけんで、彼のほうへこぎよせた。が、みるみる息子はあおむけにたおれて、じいっと父親をみつめたまま――沈みさった。

（中略）

三日三晩、人々は父親が、食わず眠らず、その水面のあたりをこぎまわるのを見た。彼は息子の死体をさがしていたのである。ようやく三日目の朝それを見いだすと、彼はそれをせおって、山を越えて家路についた。

愛する息子とのあまりにもあっけない別れ。トオルはすべてを一瞬にして奪い取られ、天国から地獄へと突き落とされてしまいました。

ところがこの物語は、トオルの苦悩や絶望には一切触れず、その後の歳月がこの父親をどう変えたかを描いています。


その日からやがて一年もすぎたころである。ある秋の夜もふけてから、牧師はだれかが玄関の扉の外で動いて、しきりに把手《とって》をさぐっている音をきいた。牧師が扉をあけると、背の高い、前かがみになった男がはいって来た。やせて、髪がすっかり白くなっている。しばらく見つめていたあとで、牧師はようやく姿を見わけることができた――トオルだったのである。

(中略)

長い沈黙――とうとうトオルがいった。

「貧乏な人たちにやってもらいたいと思って、いくらか持って来ましただ。息子の名前をつけた慈善基金をつくったらどうかと思って――」

彼は立ち上がって、テーブルの上に金をおくと、また腰をおろした。牧師はそれをかぞえてみた。

「これはたいした金額だ」と、彼はいった。

「わしの屋敷の値段の半分ですわい。わしはきょうあれを売りましたで。」

牧師は長いあいだ無言ですわっていたが、やがてしずかにたずねた。

「おまえはこれから何をしようというんだね、トオル？」

「何かいいことをしたいもんで。」

（中略）

やがて牧師は、しずかな声で、ゆっくりといった。

「いまではわたしは思うよ、トオル、おまえの息子は、とうとうおまえの祝福になったのだ、とな。」

「さよう、いまではわしも、それを信じてますわい。」

こうトオルはいって、目を上げた。そうして二粒の涙が、のろのろと彼の顔を流れおちた。


一年を経て牧師の前に現れたのは、かつてのトオルとは全《まった》くの別人でした。自己の幸せばかりを追い求めていた人間から、他人の痛みを理解し、自らの財産の大半を擲《なげう》ってでも助けようとする慈悲深い人間へと様変わりしていたのです。

そんなトオルに牧師は、それこそが息子をとおして与えられた真の祝福であることを説き聞かせたのです。

誰の言葉かは分かりませんが、辛《つら》い境遇にある人に優しくできるのは、同じ大きさの辛さを味わったことのある人だといいます。最も恵まれた父親から、最も辛い思いをした父親へと変わったことで、トオルは人の心の分かる人間へと成長し、再び立ち上がることができたのです。

どんな辛い体験にも意味がある

人生においては大なり小なり、「どうしてこんな酷《ひど》い目に遭わなければならないのか……」と嘆きたくなるような辛いことを体験するものです。しかし時間を経て冷静に振り返ってみると、「あの出来事があったからこそいまの自分がある。あの辛い体験は本当は恵みであった」と納得できることが多いものです。

ビョルンソンの『父親』が心に響くのは、多くの人が程度の差こそあれ類似した辛い体験をしていること。そしてその辛い体験は、必ずしも自分を害するばかりでなく、自分をより人間らしく成長させてくれる側面もあることを実感していることによるものと思われます。

この物語を読むと、私の主宰する勉強会に参加されたある母親の話を思い出します。

彼女のお子さんは、この夏に開催されたリオオリンピックで金メダルを取る可能性もあった優秀な運動選手でした。幼い頃から才能を発揮し、さらに学業も優秀で性格も素直な、非の打ち所がない理想的な子でした。

母親はその子に常々、「あなたは特別な才能に恵まれているのだから、その分多くを社会にお返ししなければなりません。スポーツも勉強も一所懸命にやって、オリンピックで金メダルを取れるよう頑張りなさい」と言い聞かせ、叱咤《しった》激励していました。

誰もがその子の活躍を信じて疑いませんでした。ところが本人は十六歳の時、オリンピックの代表選考会前日に、ビルの屋上から飛び降りて自ら命を絶ったのです。

涙に明け暮れていた母親に、ようやく立ち直りの兆しが見えたのは三年目くらいでした。縁あって私の勉強会に参加し、身の回りに起こることにはすべて意味があると学んだ彼女は、我が子の死にはどういう意味があるのかを考え始めました。そして、自分が幸せでいつも笑顔いっぱいでいることこそが、亡くなった我が子への一番の供養になると気づいたのです。

以来彼女は、「ほら見て、お母さんはこんなに幸せなのよ」と心の中で我が子に語り掛けるようになるとともに、自分の小さな殻を破り、人様のために何かできることはないだろうか、と思いを巡らせ、ささやかな実践を重ねるようになったのです。

勉強会で『父親』を取り上げた時、「この物語はまさしく私の物語です。」と声を弾ませた彼女は、

「もし我が子が生きていれば、いま頃金メダルを取ってテレビで持てはやされていたかもしれません。けれども、それとは比較にならないほど深い喜びと心の静謐《せいひつ》を、我が子は与えてくれました。」

とおっしゃったのです。その言葉に、人間にはどんな辛いことも乗り越える力が備わっていることを改めて教えられ、私は深い感動を覚えました。

愛する我が子を失った親の悲しみというものは、一生癒《い》えることはないかもしれません。けれども同時に、我が子が死をとおして与えてくれるかけがえのない贈り物もあるのです。

この『父親』という物語は、どんなに辛い体験にも意味があること。受け止め方次第でそれは恵みとなり、祝福となることを私たちに示唆してくれています。

一寸先は闇ではなく光であることを知らねばならぬ

＊…………坂村真民「鳥は飛ばねばならぬ」

与えられた命を大切に生きる

この世界は、いまだ新型コロナウイルスの感染拡大という大試練の真っ只中《ただなか》にあります。この試練の中にあっても、そこに何らかの意味を見出し、前進していくのはとても重要なことです。

仏教詩人・坂村真民《しんみん》さんには、現在のような逆境を乗り越える知恵と力に満ちた作品がたくさんあります。丁寧に読み返し、心に沁み通らせてみるといいでしょう。その中からいくつかの詩を取り上げて、味わってみることにします。

ところで、私は長年の真民詩のファンで、致知出版社から対談集を出したいと思って連絡を取っていただいたことがあります。しばらく経って真民さんご本人からお電話があり「本当は対談集を出して、心で感じることを言葉で語っておきたいのですが、何しろ高齢で体がついていかず申し訳ありません」と丁寧にお詫《わ》びを伝えられました。いま考えるとそれは病に伏せられる少し前のことだったように思います。

「心で感じることを言葉で語っておきたい」というひと言はいつまでも私の胸に響き続け、それから真民さんの詩を読む度に「この詩にはどういう思いを込めていらっしゃるのだろうか」と、その心情を汲《く》み取りながら味わうようになりました。

鳥は飛ばねばならぬ

鳥は飛ばねばならぬ
人は生きねばならぬ
怒濤《どとう》の海を
飛びゆく鳥のように

混沌《こんとん》の世を生きねばならぬ
鳥は本能的に
暗黒を突破すれば
光明の島に着くことを知っている
そのように人も
一寸先《いっすん》は闇ではなく
光であることを知らねばならぬ
新しい年を迎えた日の朝
わたしに与えられた命題
鳥は飛ばねばならぬ
人は生きねばならぬ

新型コロナウイルスをきっかけにして、いま世の中は大きく変わろうとしています。これからどのような世界が訪れるのか、その答えは誰にも分かりませんが、本当に先を見通す人たちは「数か月前まで私たちが住んでいた社会にはもう戻ることはできないし、同じような生活はできないだろう」と言っています。

しかし、そういう見通しのつかない混沌とした時代にあっても決して変わることのない真理があります。それは人間には生き続けるための命が与えられており、与えられた命をどこまでも大切にしなくてはいけないということです。自分一人の命を大切にするということではありません。人間同士が協力し合い、お互いの命を大切に育む生き方を学び、実践しなくてはいけません。いまこの時は、特にそのことが強く求められています。「鳥は飛ばねばならぬ」の詩は私たちにそのことを教えているのです。

イライラしがちな自分と仲良くする訓練

この詩のように、私たちはまさにいま怒濤の海、混沌の世を生きています。自粛生活で町中はどこも静まり返っていますが、迫ってきているのは怒濤のような波です。このような出来事に直面した時、一歩も前に踏み出せなくなる人がいます。気力をなくし生きる希望すら見失ってしまう人もいるでしょう。

しかし、鳥たちはそうではありません。休むところもないはずなのに、広大な太平洋をひたすら飛び続けます。なぜそれができるのか。目的を知っているからです。真民さんはそれを「鳥は本能的に／暗黒を突破すれば／光明の島に着くことを知っている」と表現し、続いて「そのように人も／一寸先は闇ではなく／光であることを知らねばならぬ」と述べています。

現在、多くの医療関係者がウイルスに罹患《りかん》した人たちを救うために寝食を忘れて命懸けで取り組んでいるのも、人々が窮屈なステイホームに協力するのも、この努力を続けていたら光明の島に行き着くことを知っているからに他なりません。

このような混沌とした時期は気持ちも塞《ふさ》ぎがちになるものですが、マイナスの思考に引っかかると、ますます暗闇の中に落ち込んでしまいます。いまは世界中が一丸となって、お互いの国や人を大事にしながら光明の島を目指さないといけない時なのです。

苦しい時は「これもフラストレーションを抱えイライラしがちな自分と仲良くする訓練」と自分に言い聞かせるのも一つの方法です。怒りやイライラが湧き起こった自分を「ああ、また始まってしまったな」と第三者の目で客観的に見つめ、自分や誰かを責めることなく、散歩や掃除など積極的に体を動かすことで調和を取っていくといいかもしれません。

この詩の最後は「新しい年を迎えた日の朝／わたしに与えられた命題／鳥は飛ばねばならぬ／人は生きねばならぬ」という言葉で結ばれています。

新型コロナウイルスが収束して世界が大きく変わった時、私たちが生きるべき姿勢がここには示されています。それは自分に与えられた使命を自覚して、その使命に向かって歩くことです。「神様は人間一人ひとりにラブレターを刻んでくれている」という言葉があります。「あなたはこういう人生を生きるのが一番いいですよ」という天のメッセージを一行一行読み解きながら、そのために自分に与えられた能力を生かしていけたら理想でしょう。

しかし、それは決して華々しいものではないかもしれません。身近な人の手助けをする、相手の心が優しくなる温かい挨拶をする、という些細《ささい》なものであったとしても、人々が自分に与えられた場で人生を輝かせ、その使命に向かって生きる時、素晴らしい未来がひらけていくのです。

二人の知人が偶然口にした同じ言葉

最近、私の親しい方二人から偶然、電話で似たような連絡をいただきました。一人は私の友人、もう一人は大学の教え子です。二人とも大切な弟さんが重い病気で入院しているものの、ウイルスの感染の危険があるというので、病院に見舞いにも行けないそうです。

七十代の友人の弟さんは急病で緩和ケア病棟に運ばれ「あと数日の命」と宣告を受けました。教え子の弟さんである五十代の医師は突然心臓発作を発症していまは危篤《きとく》状態だといいます。

私は、連絡をしてきた二人に真民さんの「念ずれば花ひらく」の詩を紹介し、「時々口に出して読んでみてはいかがですか」と勧めました。

念ずれば
花ひらく

苦しいとき
母がいつも口にしていた
このことばを
わたしもいつのころからか
となえるようになった
そうして
そのたび
わたしの花が
ふしぎと
ひとつ
ひとつ
ひらいていった

この詩は真民さんの代表作の一つです。夢や目標に向かって邁進《まいしん》し念じ続ける時、その夢や目標は成就するという、人生を応援する詩とされています。

二人は「自分よりも若い弟が先に死ぬのは耐えられない。どうか弟の病気が治りますように」と必死で念じ続けました。不思議なことにしばらくすると一面識もない二人が全《まった》く同じことを口にするようになりました。

「頭の中では弟の病がよくなるようにと一所懸命に祈り、そう念じています。でも、心の深いところでは違うのです。弟はいままで人生を人のために捧《ささ》げてきました。神様が自分のところに帰ってきなさいとおっしゃるのであれば、それを受け入れよう。弟も自分の運命を受け入れてほしい。そのように感じるようになりました」

七十代の弟さんのほうは生涯独身で、若い頃に過疎地に移り住み、音楽の才能を生かしてお年寄りを集めては歌を教えたり共に食事をしたり、誰に認められずとも、地域の人たちに愛情深く希望を与え続けていました。もう一人、五十代の弟さんもまた医師として患者さんの声に親身になって耳を傾け、病気の治療に全力を注ぎました。

姉たちの頭に浮かんだのは、そうやって人生を懸命に生きた弟さんの姿でした。そして「自分の一生はこのようにして見事に花ひらいたのだ」ということを弟さんが心の底から受け入れられるよう、また、神様の導きの下で人生の総仕上げができるよう、感謝の思いと共に念じていたというのです。

シンクロニシティという言葉があります。別々の場所にいる複数の人たちが同じ時に同じことを考え、発言、行動することを指す言葉ですが、それは「前に進みなさい」という、その人を後押しする出来事だとされています。

大変な状況の中で揺れ動きながらも、心の深いところで起こってくる出来事を受け入れることができるよう念じ、感謝の思いを捧げ続けた二人の姉の姿に接しながら、私はこの『念ずれば花ひらく』の詩の深い意味、力の大きさを改めて嚙み締めていました。

最後にもう一篇、私の好きな真民さんの短い詩を挙げておきます。

茶の花

茶の花が
もう咲いている

垣根に
かすかに
ほんのりと

わたしも
ひさしぶり
お茶をたてよう
ひとりしづかに
しんみりと

何気ない情景や心情を描いた詩ですが、心を空っぽにして幾度も繰り返し読んでみてはいかがでしょうか。部屋のどこかに張っておくのもいいかもしれません。疲れた心が温かくなっていくのをきっと感じるはずです。

第二章＊生かされて生きている

不思議なのは喜助の欲のないこと、足ることを知っていることである。

*……………森鷗外『高瀬舟』

全てを失って気づく、生かされている喜び

徳川時代の京都を舞台にした森鷗外《もりおうがい》の『高瀬舟《たかせぶね》』はよく知られた作品ですが、私は東日本大震災以来、そこに込められた「人は自分の運命についてどう考えるか」というテーマが、とても心に響くようになりました。

震災によって、生活に必要な財産や家、またかけがえのない家族を奪われてしまった被災者の心境と、この小説の登場人物のそれとが重なり合うことを感じたからです。

頼りにすべきものを全て失った人が多くいるいま、この作品を通して鷗外が示す考

え方は、新たな生活に向かう際の一つの手懸《てがか》りとなると思います。

小説の舞台となる高瀬舟は、島流しの刑を言い渡された罪人を乗せて、京都の高瀬川を下り、大阪へと回る小舟のことです。

当時島流しを命じられた罪人は、盗みのために放火や殺人をするような極悪人ではなく、思いがけないことから罪に問われた人が大半を占めていました。登場人物の喜《き》助《すけ》もそんな罪人の一人です。そしてこの高瀬舟で喜助の護送をするのは、京都町奉《ぶ》行《ぎょう》の配下にいる羽田庄兵衛《はねだしょうべえ》という同心《どうしん》（役人）でした。

二人を乗せた舟は、桜の花散る春の夕べに、京都の町をゆっくりと下っていきます。この場面の描写がなかなか素晴らしいので、その情景を味わってみることにしましょう。

その日は暮れ方から風がやんで、空一面をおおった薄い雲が、月の輪郭《りんかく》をかすませ、ようよう近寄って来る夏の温かさが、両岸の土からも、川床《かわどこ》の土からも、もやになって立ちのぼるかと思われる夜《よ》であった。下京《しもぎょう》の町を離れて、加茂川《かもがわ》を横ぎったころからは、あたりがひっそりとして、ただ舳《へさき》にさかれる水のささやきを聞くのみである。

高瀬舟が水面を静かに進む中、これまで幾度となく罪人を島へ送ってきた庄兵衛は、喜助の罪人らしくない晴れやかな顔を怪訝《けげん》に思います。その心中を、鷗外は次のように表現しています。

庄兵衛はまともには見ていぬが、始終喜助の顔から目を離さずにいる。そして不思議だ、不思議だと、心の内で繰り返している。それは喜助の顔が縦から見ても、横から見ても、いかにも楽しそうで、もし役人に対する気がねがなかったら、口笛を吹きはじめるとか、鼻歌を歌い出すとかしそうに思われたからである。

高瀬舟に乗せられた罪人たちは、自身の悲惨な運命を嘆いて夜通し泣くのが常であり、いつも目も当てられないほど気の毒な有様でした。けれども喜助が穏やかに月を仰ぐ姿からは、遠い島に追いやられることを苦にする様子が微塵《みじん》も窺《うかが》えません。

考えれば考えるほど喜助の態度が分からない庄兵衛は、こらえ切れずに、「喜助。お前何を思っているのか」と声をかけます。

なぜ島流しになることを辛く思わないのか。その問いに対する喜助の答えには、現代を生きる私たちへの一つの示唆《しさ》となるものが含まれています。

なるほど島へゆくということは、ほかの人には悲しい事でございましょう。その心持ちはわたくしにも思いやってみることができます。しかしそれは世間でらくをしていた人だからでございます。京都は結構な土地ではございますが、その結構な土地で、これまでわたくしのいたして参ったような苦しみは、どこへ参ってもなかろうと存じます。お上《かみ》のお慈悲で、命を助けて島へやってくださいます。島はよしやつらい所でも、鬼のすむ所ではございますまい。わたくしはこれまで、どこといって自分のいていい所というものがございませんでした。こん度お上で島にいろとおっしゃってくださいます。そのいろとおっしゃる所に落ち着いていることができますのが、まず何よりもありがたい事でございます。

そうにっこり笑う喜助は、牢を出る時に与えられた僅《わず》ばかりの金銭を元手に、島で働こうと楽しみに語るのです。

喜助がそれまで生きてきた境遇は、惨憺《さんたん》たるものでした。仕事を求めて苦しみ、またそれを見つけて骨を惜しまずに働いても、稼ぎを自分のふところに入れて持っているということはありえませんでした。それが島に流されることになって、居場所を与えられ、食べ物をあてがわれ、新しい生活が始まる現実に不満どころか感謝を持っています。

人は何も持たなくなった時に、自分が生かされていることのありがたさを感じるといいます。喜助の笑顔は、正にどん底の生活の中で培《つちか》われた、生かされている喜びから生まれるのでしょう。

幸せに生きるには足るを知ること

庄兵衛は喜助の身の上を自分と引き比べ、「不思議なのは喜助の欲のないこと、足ることを知っていることである」と考えを巡らせます。

喜助とは稼ぐ額こそ違うものの、庄兵衛にしてもお上から与えられる扶持米《ふちまい》を右から左に人手に渡し、窮屈《きゅうくつ》な暮らしをしていることに変わりはありません。倹約に倹約を重ね、ぎりぎりの生活を保っている庄兵衛は、常に「もっとあれば」という悩みに苛《さいな》まれています。生計を何とか維持できても、そこに満足感を覚えることはありません。

自分と喜助との差はどこにあるのか。喜助の晴れやかな顔を見ながら、庄兵衛は人の一生を思います。

人は身に病があると、この病がなかったらと思う。その日その日の食がないと、食ってゆかれたらと思う。万一の時に備えるたくわえがないと、少しでもたくわえがあったらと思う。たくわえがあっても、またそのたくわえがもっと多かったらと思う。かくのごとくに先から先へと考えてみれば、人はどこまで行って踏み止まることができるものやらわからない。

人間の不満は後から後から尽きることがありません。それを目の前で踏み止まって見せてくれるのがこの喜助だと、庄兵衛は気がつくのです。

人が幸せに生きるためには、足るを知ること。現実をありのままに受け止め、そこに感謝を見出す喜助の姿は、そのことを私たちに教えてくれます。

鷗外がこの短い小説を通して最も伝えたかったことは、まさにこの知足《ちそく》の大切さなのではないでしょうか。

この度の震災以降、私の元には被災された方々の声が数多く寄せられました。その声の中に、私は喜助の心境と同じものを感じました。

家族や友人を失い、住まいを流され、想像を絶する苦境の中で、誰もが命あることへの感謝と、人との繋がりのありがたさを繰り返していたのです。それは見事な姿でした。


人は普段は物に囲まれ、欲にとらわれて生きています。それが今回のような惨事によって全てが失われた時、人間の本質的な欲求や、何によって幸せになるのかが浮かび上がってきます。

命があること、人が一緒にいてくれること、自分が人のために何かができること

――そういったことが支えとなって、生きる意欲が生まれるのです。

何のために生きているのか。人はこの根源的な問題について、安楽のうちにあっては深く考えることはありません。持っているものを全て剥《は》ぎ取られ、命の瀬戸際《せとぎわ》まで追い詰められて、初めて明らかになる人生の意義を、多くの人に見せてくれたのが、先の東日本大震災だったのです。

Doing――行為とBeing――魂

『高瀬舟』には、喜助の言葉に感銘を受けた庄兵衛が驚異の目をみはって喜助を見、その頭から光がさすように感じるくだりがあります。

庄兵衛が見た喜助の姿というものは、厳しい現実を受け入れて、そこに感謝の気持ちを持ち、自分自身も人の役に立ちたいと願う姿です。その時に光を放ったのは、喜助の行為の部分（Doing）ではなく、深い深い魂の部分（Being）だったのでしょう。

その人が何をしたのか、何を持っているか、どういう肩書きがあるかといったうわべの部分が取り払われて、なお光を放ち続ける喜助の存在そのものに、庄兵衛は心打

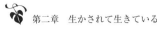

たれたのです。

喜助の頭から光がさしているように見えた庄兵衛の驚き、それはそのまま震災の折に世界の人々が日本に対して覚えた感嘆に重なります。

災禍の只中《ただなか》にあっても暴動を起こすことなく、整然として秩序を保ち、温かい心でお互いを助け合う日本人の精神性の高さに、世界各国から惜しみない賞賛が送られました。

震災がもたらした極限状態は、多くの人に「何のために生きているか」という問いを投げかけました。

ここを出発点に、志を高く持って真剣に生きる姿を世界の人たちに見せ、日本を新しい時代へと導いてゆくことが、私たちに課せられた大事な使命なのではないでしょうか。

鼻が短くなった時と同じような、
はればれとした心もちが、
どこからともなく
帰って来るのを感じた。

＊…………芥川龍之介『鼻』

欠点だらけの自分とどのように向き合うか

夏目漱石や芥川龍之介をはじめとする明治、大正期の文豪には、ある共通した特徴があります。人間の持つ深い業《ごう》、キリスト教でいう原罪のような部分を、作品の中でサラリと表現していることです。『鼻』は芥川のお馴染みの代表作ですが、この作品

もまた、人間誰もが持つ弱さや醜さをユーモラスなタッチで見事に描き出していま
す。

五～六寸（十五～十八センチ）もの腸詰めのような鼻を持つ禅智内供《ぜんちないぐ》という僧侶が、この小説の主人公です。内供は表面ではさほど気にならないような顔をしながら、終始、この鼻を苦に病んでいました。自分が鼻を気にしていることを人に悟られまいとし、会話の中に鼻という単語が出てくることを何よりも恐れていました。

内供は長い鼻によって傷ついた自尊心を恢復《かいふく》するために、鼻を実際以上に短く見せようと試みますが、苦心すればするほどかえって長く見えるような気さえするのでした。また、絶えず人の鼻を気にし、一人でも自分のような鼻を持つ人を見つけて安心しようとします。長い鼻を持つ人がいないと分かるや、今度は内典外典《ないてんげてん》の中に自分と同じような鼻の人物を見出して、せめてもの慰めにしようと考えるのですが、どの経文に目を通してもそのような人物に出会うことはできません。

ここで芥川がいう「鼻」は一つの象徴です。私たちは顔つきや体形、身体的欠陥、

さらに学力や財力、社会的な地位、知名度など様々なことを他人と比較しながら生きています。世の中は苦しみに満ちていると言われますが、詰まるところ、多くは他人との比較の中で生まれると言ってもいいでしょう。

内供の場合も、鼻そのものというより「長い鼻によって自分は笑いものにしかならない」「他人より劣っている」というコンプレックスから抜け出ることができず、気づかないうちに、悪いイメージを自分自身に植えつけていたに違いありません。四六時中人のことばかり気にしていたのも、自分に全《まった》く自信が持てずセルフイメージが低いためだと言えます。


しかし、完全な人間など世界中どこを探してもいません。人が羨《うらや》む美貌の持ち主も大金持ちも有名人も皆、何らかの悩みや苦しみを抱えながら生きています。自分の思いどおりに生きられる人など誰一人としていないのです。

生きていく上で大切なことは、短所や欠点を含めて自分のありのままを受け入れることです。人生で直面する問題には、変えることができるものと変えることができないものとがあります。変えられる問題は努力して変えることが必要でしょうが、変えられない問題にぶつかった時、「これが自分なのだ」「自分は自分でいいのだ」と静かに受け入れる。その覚悟を決めることこそが安らかに生きられる一番の秘訣なのです。

人の欠点を批判するのは自分にそれがあるから

内供はある時、弟子をとおして長い鼻を短くする法を聞かされます。それは湯で鼻を茹《ゆ》でて、その鼻を人に踏ませるという単純なものでした。内供は早速弟子の力を借りてそれを実行します。そして、この法を何日も繰り返すうちに、内供の鼻は鉤鼻《かぎばな》とさして変わらないほど短くなっていました。内供は暇さえあれば手を出して鼻の先を触っては、心の中で微笑みます。

ところが二三日たつ中に、内供は意外な事実を発見した。それは折から、用事があって、池の尾の寺を訪れた侍が、前よりも一層可笑《おか》しそうな顔をして、話も碌々《ろくろく》せずに、じろじろ内供の鼻ばかり眺めていた事である。それのみならず、嘗《かつて》、内供の鼻を粥《かゆ》の中へ落した事のある中童子なぞは、講堂の外で内供と行きちがった時に、始めは、下を向いて可笑しさをこらえていたが、とうとうこらえ兼ねたと見えて、一度にふっと吹き出してしまった。

内供の複雑な心の内が伝わってきそうな一文です。鉤鼻と大して変わらなくなった内供を見て、周囲の人たちはなぜ称賛せずに笑ってしまうのでしょうか。この小説の中で芥川は次のように人間の心理を描いています。

人間の心には互に矛盾した二つの感情がある。勿論《もちろん》、誰でも他人の不幸に同情しない者はない。ところがその人がその不幸を、どうにかして切りぬける事が出来ると、今度はこっちで何となく物足りないような心もちがする。少し誇張して云えば、もう一度その人を、同じ不幸に陥れて見たいような気にさえなる。……（中略）……内供が、理由を知らないながらも、何となく不快に思ったのは、池の尾の僧俗の態度に、この傍観者の利己主義をそれとなく感づいたからに外ならない。

人を見て笑ったり、悪口を言ったりするのは「傍観者の利己主義」であると芥川は言っています。人間の心に潜むおぞましさを表現して余りありますが、この言葉からは傍観者の言うことがいかに当てにならないか、人の言動に一喜一憂することがいかに人生を無駄にしているかを教えられます。

傍観者のような態度で人を批判したり笑ったりするのは、自分にも同じ要素を持っているからです。自分の弱さや欠点を直視するのが苦しく、それを認めたくないために、同じ要素を持っている人の悪口を言ってこき下ろそうとします。つまり、人の批判をする人も内供同様、自分を受け入れられないセルフイメージの低い人なのです。

私が主催したワークショップであるセッションを行いました。大きな部屋の中央に参加者を集め、自分に酷《ひど》いことを言った人、恨みのある人の顔を思い出して、その人の悪口を思いっきり大声で叫ぶのです。「おまえはこんな嫌なやつだ」「人を見下しやがって」「この馬鹿野郎」など様々な罵詈雑言《ばりぞうごん》が飛び交います。

ところが、面白いことに、しばらくすると一人、二人と黙り込む人たちが出てきます。私が「どうしたのですか。このようなチャンスはまたとないのだから、思いを発散させたらどうですか」と言うと、ある参加者は「最初は気持ちよく叫んでいましたが、そのうちに何だか自分自身を罵倒しているような気持ちになりました。相手の嫌なところが、すべて自分の中にあるんです」と話していました。相手に自分と同じものを見て耐えられなくなるわけです。

誰かからの身勝手な批判は、批判する人の心の投影ですから、全く当てにはなりません。

以前、私が出会ったある神父さんは「他人の言うことを気にしてはいけません。しかし、十人のうち七人から同じことを言われたたならば、自分の言動についてよく考え、改めることが大事です」と教えてくださいました。私たち人間はそれぞれの物差しで人を測り、判断します。その物差しによって心を浮き沈みさせることのないよう心掛けていきたいものです。

自分を守る「六秒の奇跡」

この小説の最後は、短くなっていた内供の鼻が、再びもとの長い鼻に戻る場面です。

殆《ほとんど》、忘れようとしていた或感覚が、再《ふたたび》、内供に帰って来たのはこの時である。内供は慌てて鼻へ手をやった。手にさわるものは、昨夜の短い鼻ではない。上唇の上から顋《あご》の下まで、五六寸あまりもぶら下っている、昔の長い鼻である。内供は鼻が一夜の中に、又元の通り長くなったのを知った。そうしてそれと同時に、鼻が短くなった時と同じような、はればれとした心もちが、どこからともなく帰って来るのを感じた。（後略）

内供が自身のありのままを受け入れ、心が安らかになっていく様子が伝わってくるはずです。この時の内供の心中を察すれば、人の言葉に翻弄《ほんろう》され、覚悟が定まらなかったことを恥じるような気持ちがあったのかもしれません。

人の言動で心が動いてしまいそうになる時、それを防いでくれる「六秒の奇跡」と呼ばれる方法があります。

例えば、誰かから激しく叱られたり罵倒されたりしたような場合、「あっ、いま動揺してしまっているな、傷ついたな」と客観的な目で自分を観察し、六秒間呼吸を整えて心を静めるのです。そうすれば、マイナスの思いが消えていき、気持ちを乗っ取られずに済むと言われています。刺激に対してすぐに反応してしまえば、感情の虜《とりこ》になってしまいます。

自分を冷静に観察するこの練習を続けていくうちに、人の言うことはそれほど深いものでも真実に根ざしたものでもないことが分かってきます。そして「人の目ばかりを気にして生きる自分、欠点の多い自分であっても、大自然から生かされている尊い存在なのだ」という自覚が芽生えてきて、いつの間にか自分を受け入れることができ、自分自身と仲よしになっていくことでしょう。

セルフイメージを高める一番の方法は、このように人間は大自然によって生かされていることを実感し、それに感謝することです。人間を生かしてくれるのは大自然だけではありません。親や学校の先生、友人、隣近所の人たち、職場の上司や同僚など多くの人たちの支えがなくては、私たちは生きていくことができません。自分に愛情を注ぎ、育ててくれようとした人たちに思いを馳《は》せてみることも自己肯定に繋がります。

もちろん、人間は成長するにしたがって多くの失敗や挫折を経験します。そのことがトラウマになって先に進めなくなる人がいるかもしれません。そういう時は小さな成功を自分で認めて、自信を積み上げていくことです。「きょうも頑張って仕事ができた」「お客様から喜んでいただけた」「道に落ちていたゴミを拾った」というような些細《ささい》なことでも「ああ、いいことができた」と喜ぶ習慣をつけることが大切なのです。

まるで親が小さな子供を褒《ほ》めて育てるように、当たり前と思えるようなことでも自分で自分のいいところを見つけて教育していく中で、いつの間にかセルフイメージは高まっていくことでしょう。

顔の形が異なるように、人間の個性も皆違います。共通しているのはただ一つ、奇跡的な命を授かって生かされていることです。その素晴らしさに気づいていただくことが私の何よりの願いです。

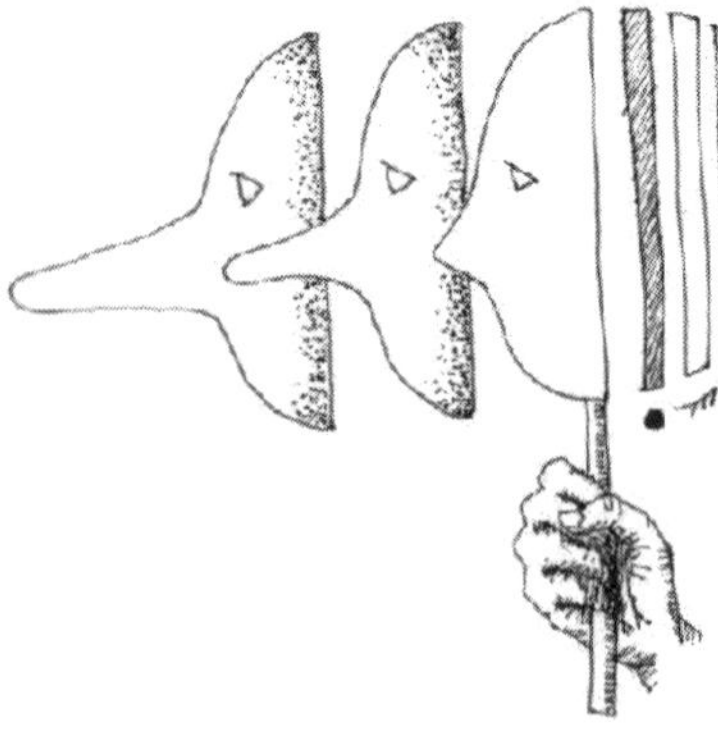

天上影は替らねど
栄枯は移る世の姿
写さんとてか今もなお
嗚呼荒城の夜半の月

＊……………土井晩翠『荒城の月』

日本人の心を世界に伝える名曲

今回味わってみたいのは、日本人であれば多くの人が耳にしたことがある『荒城《こうじょう》の月』です。

春高楼《はるこうろう》の花の宴《えん》
巡る盃《さかずき》かげさして
千代の松が枝《え》わけ出でし
昔の光いまいずこ

秋陣営の霜の色
鳴きゆく雁《かり》の数見せて
植うる剣《つるぎ》に照りそいし
昔の光いまいずこ

いま荒城の夜半《よわ》の月
替らぬ光たがためぞ
垣に残るはただ葛《かずら》
松に歌うはただ嵐

天上影は替らねど
栄枯は移る世の姿
写さんとてか今もなお
嗚呼《ああ》荒城の夜半の月

【現代語訳】

春、城内では華やかな花見の宴が開かれている。
回し飲む盃に月影が映る。
千年の古い松の枝から射し込んでいた、
栄華を映した光は、いまどこにあるのだろうか。

秋の古戦場を一面霜が覆《おお》う。
空には雁の群れの鳴き声が響く。
城跡に刺さった刀に映っていた
栄華の光は、いまどこにあるのだろうか。

いまは荒れ果てた城跡を照らす夜半の月。
昔と変わらぬその光は、主《あるじ》のいない城で誰のために射しているのだろうか。
石垣に残るのはただ一面の蔦《つた》。
老松《おいまつ》の枝を鳴らす風の音が聞こえるのみ。

天上の月が照らす影はいまも変わることがないが、
世の中は栄えては滅んでいく。
いまもなおそのことを映そうとしているのだろうか。
ああ　荒城を照らす夜半の月よ。

この『荒城の月』は土井晩翠《ばんすい》（一八七一～一九五二）の作詞、滝廉太郎《れんたろう》（一八七九～一九〇三）の作曲によるものです。文語調の格調高い歌詞と、短調のゆったりした曲調によって、世の中の移り変わりや無常観が見事に表現されています。

荒城の舞台については、土井が宮城県仙台市の青葉城や福島県会津若松市の鶴ヶ城をイメージしたのに対して、滝は少年期を過ごした大分県竹田市の岡城や富山市の富山城を思い描きながら作曲したと伝えられています。

一九〇一（明治三十四）年、『中学唱歌』に初めて掲載され、その後、海外にも広く知られるようになった日本を代表する名曲の一つです。日本人の素晴らしい感性を伝えるこの歌は、これからいつまでも歌い継がれることでしょう。

声を出しながら繰り返し読み、歌うことによって、明治の優れた芸術家たちがそこに込めた思いが伝わってくるはずです。

変わるものと決して変わらないもの

『荒城の月』を読みながら、私が感銘を受けるのは、私たちが生きていく世界には常に変わっていくものと変わっていかない不変のものがあり、短い詩の中にその対比がくっきりと表現されていることです。

私たちは必死になって地位や名誉、財力などを求めようとしますが、同時に心の深い部分ではその儚《はかな》さをよく知っています。そういうものは永続しない、いつかは必ず消えていくと知っていながら、なおそれを求めようとする。人間は誰しもそういう一面を持っています。

一方で、大自然の運行や秩序はどんなに時代が移ろうが変わることはありません。朝が来れば夜が訪れますし、日本のような温帯地域では春夏秋冬の四季が常に巡ってきて、四季折々の草花や食べ物を楽しむことができます。太陽の光は無限に降り注ぎ、生きる上で必要な水も空気も無条件に与えられています。

物事が様々に移り変わる儚い人生の中にあっても、それを慈《いつく》しみ深く包み込む大自然の秩序は常に完全であり、調和そのものなのです。

『荒城の月』に盛り込まれた美しい桜や松のざわめき、霜の色、雁の鳴き声、天上の月の光、風の音などは、そういう変わることのない大自然の象徴として描かれています。

考えてみれば、私たち人間の命そのものも大自然によって与えられたものであり、私たちはそういう大自然を形づくっている存在の一部です。

しかし、大いなる存在の意志によって生かされていながら、そのことを忘れて、いつも我欲にとらわれ、喜怒哀楽にどっぷりと浸かって生きているのが私たち人間の偽らざる姿だと言えるかもしれません。

中には「人間はいずれ死んでしまうのだから、好き勝手に生きて思う存分人生を謳《おう》歌《か》しよう」と享楽的な生き方を選ぶ人もいることでしょう。大自然から生かされていることも、多くの人の支えの中で生きていることもすべて忘れて、刹那的《せつなてき》に生きたとして果たしてそこに最後には何が残るのでしょうか。すべてを失ってしまった時、そこに残るのは空《むな》しさと荒《すさ》んだ気持ちだけです。

そこまで極端ではないとしても、大自然の恵みや人との繋がりを意識して生きている人はそれほど多くはないでしょう。

そういう人間の心に向かって、大自然は青空や風の音、太陽の光、木々の姿などを通して「それだけが人生ではない。本物は別のところにあるんだよ」と囁《ささや》きかけてくれています。それは大自然からのメッセージに限ったことではなく、時として苦しい出来事や病気といった形で現れてくることもあります。

試練を経て初めて見えてきた世界

数年前に八十代で亡くなりましたが、私の親しくしていた知人で、北海道でホテルやゴルフ場などを手広く経営している男性がいました。何もないところからスタートし、一代で事業を築き拡大していたことからも、その卓越した才能とバイタリティーの大きさが分かると思います。単に余暇を楽しむためのリゾート施設ではなく、魂を蘇らせるための場にしたいという理想がこの男性にはあり、その強い思いが事業家としての夢を後押ししたのでしょう。

この男性は年齢を重ねて糖尿病を患《わずら》い、医師からは「このままでは失明してしまいます」と宣告されました。話を聞くと手術の成功率は九十七%だといいます。ほぼ百%の成功率で、男性は「まさか失明することはないだろう」と大船に乗ったつもりで目の手術を受けました。ところが、結果的に手術はうまくいかず、全盲になってしまうのです。

それまで当たり前のように見えていた世界が突然奪われるわけですから、男性が受けたショックの大きさは察するに余りあります。実際、手術から半年後に私が男性とお会いした時、「最初の三か月間は本当に地獄でした」と話してくれました。「どうして自分がこんな目に遭わなくてはいけないのか」。辛《つら》さと悔しさと孤独感が入り交じった、やり場のない思いをどうすることもできなかったといいます。

男性が立派だったのは、そんな苦しい状況にあっても自宅に籠もることなく経営者としての仕事を全《まっと》うしようと決断したことです。そこにはトップとしての責任に加えて、仕事に打ち込むことで、目の見えない苦しさを少しでも紛らわせたいという思いもあったのでしょう。

それまで社員を頼りなく思い、時に厳しく怒鳴りつけたりすることも多かっただけに、失明後、会社に足を運んだ自分が社員たちからどのような目で見られるだろうか、冷ややかな態度で向き合ってくるのではないかと、不安でいっぱいだったといいます。

ところが、男性が出勤すると、社員たちは待ち構えていたかのように出迎えて手を貸し、次々に温かい励ましの言葉を掛けてきました。それまで頼りなく見えて散々怒鳴りつけた社員たちが、その後も変わることなく「これからは社長の代わりに自分たちが頑張りますから、安心してください」と伝えてくれる姿に接し、男性はそれまで味わったことのない人のありがたさ、温かみというものをしみじみと実感するのです。

『荒城の月』の詩になぞらえれば、荒れ果てた城に、月の光がどこまでも注がれるようなものです。男性はいつも月の光に照らされていながら、そのことに気づくことができないでいたわけです。

試練を少しずつ受け入れられるようになる中で、経営するホテルによく泊まりに来ていた一人の人物のことが男性の脳裏を過《よぎ》るようになったといいます。韓国のカトリック教会を代表する金枢機卿《きむすうききょう》です。金寿煥《きむすふぁん》枢機卿は第二次世界大戦中は日本の軍人として戦地に出向き、様々な苦労をした人ですが、恨みがましい言葉は一切口にすることなく、いつも穏やかな笑顔で人々に接していました。

金枢機卿の生き方に思いを馳《は》せながら、男性は私にこう話してくれました。

「世の中は常に移り変わっていきます。しかし、神様の私たちへの愛はどんなことがあろうと決して変わることがありません。目が見えなくなったのも神様の計らいであり、神様の配慮が私たち一人ひとりに降り注いでいるので、何も恐れる必要はないと分かりました」

男性は、枢機卿の生き方や社員や周囲の人たちの言葉、振る舞いを通して移り変わる世の中に神様の温かい配慮を実感したのです。

以来、男性は目が不自由になったことを不幸と思うどころか、心の目が開かれてそれまで見えなかった世界が見えるようになったことに、感謝と喜びすら覚えるようになりました。厳しい試練が男性の生き方や人生観を百八十度変えました。

人生で起きることには必ず意味がある。このことは私の確信ですが、この男性の場合も失明という大きな試練を通して、それまで気づかなかった世界に目覚め、人生でより大切な宝を得ることができたのです。

ここへきて彼女はヒロイックな決意をかためたのである。巨額の借財を払わねばならないのだ。

＊……………ギ・ド・モーパッサン『首飾り』

消えたダイアモンドの首飾り

『女の一生』で知られるフランスの作家ギ・ド・モーパッサン（一八五〇〜一八九三）に『首飾り』という短編小説があります。とてもシンプルな内容なので、まずはそのあらましからお伝えしたいと思います（原典は『モーパッサン短篇集』山田登世子編訳／筑摩書房による）。

この小説の主人公・マチルドは、文部省の小役人ロワゼルと結婚した主婦です。幼い頃からあらゆる贅沢《ぜいたく》をしたいと思って生きてきた彼女でしたが、結婚後は貧しくみじめな生活が待っていました。みすぼらしい住まい、粗末な椅子《いす》、汚らしいファブリック（織物）……その一つひとつが彼女には苦しみと怒りの種であり、贅沢な生活を夢想しては心を慰めるのでした。

ある日、ロワゼル夫妻は役所のお歴々が参加する華やかな夜会に招待されることになりました。しかし、彼女は浮かぬ顔をしています。着ていくドレスがないというのです。ロワゼルは猟銃を買うために貯《た》めた四百フランで立派なドレスをこしらえてあげましたが、それでもマチルドは「つけていく宝石がない」と思い悩んでいます。

二人はふと金持ちのフォレスティエ夫人の家に行って高価な宝石を借りることを思いつきました。夫人宅を訪れたマチルドは、黒サテン箱に入ったダイアモンドの素晴らしい首飾りがいたく気に入り、その首飾りを借りて夜会に参加することにしました。

夜会の日が来た。ロワゼル夫人は勝利を勝ち得た。彼女は誰よりも美しく、優雅で、愛嬌《あいきょう》があり、笑みを絶やさず、よろこびにあふれていた。男という男が彼女を見て、名をたずね、紹介してもらいたがった。……（中略）……こうしてなみいる男たちの欲望をそそり、かくも完璧な成功をおさめるのは、女心にどれほど甘美なことであっただろう。

しかし、そういう夢のような時間はあっという間に過ぎ去ってしまいます。ロワゼル夫妻は帰りの馬車に乗り込み、悲しく家に戻ってきました。彼女は盛装した自分の姿をもう一度見ようと鏡の前に立ち、突然叫び声を上げました。フォレスティエ夫人に借りた首飾りがなくなっていたのです。可能性のありそうなところはすべて探しましたが、どうしても見つけることができませんでした。

ロワゼルは、借りた宝石と似た宝石を三万六千フランで買う決断をしました。そのために何人もの知人や高利貸しから多額の借金をし、身の破滅にもなりかねない契約も結びました。

ロワゼル夫人は、貧乏暮らしのおそろしさを知った。というのも、ここへきて彼女はヒロイックな決意をかためたのである。巨額の借財を払わねばならないのだ。そうとなれば、自分で払わなければ。お手伝いには暇を出して、住まいを変え、屋根裏部屋を間借りした。

彼女は家事の荒仕事や、きたならしい台所仕事に手を汚した。食器を洗い、油ぎった皿や鍋底を洗ってバラ色の爪をすりへらした。


夫妻は十年後、すべての負債を払い終えましたが、マチルドはすっかり老け込んでいました。ある日曜日、気晴らしにシャンゼリゼを歩いていた彼女は、自分に宝石を貸してくれたフォレスティエ夫人に気づき、思い切って声を掛けます。フォレスティエ夫人はマチルドの変貌《へんぼう》ぶりに驚いた様子でしたが、マチルドはここで初めて首飾りをなくし、別のダイアモンドを買ったことを伝えました。

そしてこの小説の最後は次のように締め括《くく》られています。


フォレスティエ夫人は足を止めた。

「わたしの首飾りの代わりに別のダイアモンドを買ったですって？」

「そうよ、気がつかなかったでしょう、ね？　本当にそっくりだったから」

そう言って彼女は、得意げに、無邪気に笑った。

フォレスティエ夫人はひどく心を突かれて、友の両手を握りしめた。

「ああ、マチルド、どうしましょう！　わたしのはイミテーションだったのよ。せいぜい五百フランぐらいだったのに！……」

十年間の努力はただの徒労だったのか

小説には書かれていませんが、借りた宝石がイミテーションであると知ったロワゼル夫妻の心中には、言葉にできないほどの虚《むな》しさ、やり切れなさが込み上げてきたに違いありません。血みどろになりながら借金を返し続けた、あの十年間は一体何だったのだろうか。そう思って悲嘆に暮れる二人の姿がありありと目に浮かびます。

しかし、二人の努力は本当に徒労に終わったのでしょうか。私たちの世界には、何事もプラスとマイナスの均衡で成り立っているという不思議な法則があります。昼があれば夜があり、天があれば地があり、苦しみがあれば喜びがあるのと同じように、悪い出来事の背後には、それと釣り合うだけのよき出来事が必ずあるのです。

確かに傍《はた》から見れば、二人の十年間は、ただただ借金の埋め合わせのために費やされたように思え、美しかったマチルドは心労のために驚くほど老け込みました。他人様からの賞賛など報いられることは何もなかったかもしれません。

しかし、一方で二人は十年間、一つの目的に向かってがむしゃらに働き続ける中で、決して道に迷うことはありませんでした。借金が毎月減っていくことをささやかな喜びとしながら、いくつもの壁を乗り越え、人間として大きな成長を遂げ、夫婦の絆《きずな》も深まったのではないかと思うのです。

この夫婦のような例は、私たちの周囲にもたくさんあります。事業の保証人を承諾したばかりに、ある時からいきなり借金の返済に追われるようになり、長い間苦しみや恐怖と向き合わなくてはいけなくなったという人もいらっしゃるでしょう。その方たちの立場に立てば、絶望に苛《さいな》まれるのは無理もないことです。

しかし、苦しみを味わい尽くしながらも、自暴自棄になりそうな自分を責めることなく、心の奥底で「でも、これは何か深い意味があるかもしれない」と小さな希望の灯をともし続けていれば、いつかその暗いトンネルを抜け出すことができ、その試練の深い意味に気づく日が訪れると私は信じています。

私は万一の人生の苦難に備えるために、日常生活の中で、小さい喜びを見つける訓練を続けることを皆さんにお勧めしています。苦悩に喘《あえ》ぎながらも命を与えられている自分がいる。小さいけれども寝起きする住まいがある。朝、清々《すがすが》しい太陽を浴びることができる。このような一見当たり前のように思える些細《ささい》な出来事に喜びを見出し、視点を変え続ける訓練は、親しい人との死別などいざ苦難に遭遇した時、自分の中にそれを乗り越える力が潜んでいることに気づかせてくれることでしょう。

新型コロナウイルスの感染拡大によって多くの人が不安や恐怖に怯《おび》えているいまこそ、そういう小さな喜びを感じ取る訓練が大きな希望に繋がっていくのではないかと思います。

生きているだけで誰かの役に立っている

いま大きな社会問題となっているのが年老いた親の介護です。これも時に長い忍耐が求められ、働き盛りのサラリーマンが離職などを余儀なくされるケースも少なくありません。

私は介護の問題について相談を受ける時、「他人への貢献こそ幸福である」という精神科医アルフレッド・アドラーの言葉を伝えます。人間は誰かに貢献することによって幸せを味わう存在なのです。一人でいくら頑張ってみても、他人との関係性なしには本当の喜びを味わうことはできません。

介護は社会的には何かの報いが得られるものではないかもしれません。しかし、目の前の親に喜びを与えることができたとしたら、それは介護者にとっての喜びに繋がっているのです。

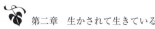

親の立場に立てば「自分が長生きしたがために、息子や娘の人生の時間を奪ってしまっている。申し訳ない」と辛い思いをしている人も多いことでしょう。しかし、自分が不自由な体になることで、息子、娘に幸せ感を味わってもらうチャンス、人間的な成長の機会を与えていると捉《とら》えることもできるのではないでしょうか。

もちろん、その幸せ感は宝くじが当たるとか海外旅行に行くといったこととは全《まった》く異なるものですが、小さな幸せ感を味わえる人は、様々な苦労を喜びに変えながら乗り越えられる人だと思います。

私の知る母親は、三十歳を過ぎても引きこもっている息子さんのことで、とても悩んでいました。ある地方の精神科医に息子さんを預けたところ、そこでいろいろな人に会って刺激を受けたのか、自宅に戻った後は週二回のアルバイトに出るようになりました。

息子が週二回のアルバイトに行く。これはごくありふれた日常の一コマです。しかし、母親にとってそれは喜ばしい出来事でした。

「息子が家に引きこもってばかりいた当時を思えば、人並みに働いてくれるようになったいまは、まさに天国です。もっともっとよくなってほしいとか、もっと働けるようになってほしいとか、そんなことは全く考えません」

小さな喜びを噛み締め、息子さんと母親が共に支え合いながらお互いに成長を遂げている姿が伝わってきます。このように幸せは遠くに求めるものではなく、いま目の前にあるのです。

アドラー心理学の研究者である岸見一郎氏は著書『老いる勇気』（ＰＨＰ文庫）で次のように述べています。

「人間は誰しも一人で生きていくことはできません。他者の役に立っているという『貢献感』は幸福の礎《いしずえ》であり、生きる力になります。そして、現に今『生きている』ということは、この世に自分のすべきことが残されている、ということです。自分が置かれている状況で、なお自分にできることはないだろうかと考えてみることで、幸せを実感できます」

生きているだけで誰かの役に立てるという言葉、しっかりと噛み締めて人生を一歩一歩いていきたいものだと思います。

「これが死んだしるしだ。死ぬとき見る火だ。熊ども、ゆるせよ」と小十郎は思った。

＊…………宮澤賢治『なめとこ山の熊』

矛盾に満ちている私たちの世界

思いも寄らぬ壁にぶつかって行く手を阻《はば》まれたり、生きるために図らずも他者を傷つけてしまったり、幸せを求めて頑張ったつもりが不幸になってしまったり、なかなか理想どおりにはいかないのが私たちの人生というものです。

しかし、私たちはどんなにあがいてもその矛盾に満ちた世界から逃れることはできません。厳しい現実でも、それらを受け入れて生きる以外に道はないのです。

宮澤賢治は熱心な仏教の信奉者でした。賢治もまた理想の社会や人生を希求しながら、厳しい農村の現実や家族の死、自らの病と向き合い続けました。童話『なめとこ山の熊』もそういう現実を生き抜いた賢治の心の葛藤《かっとう》が表現された作品です。

この童話の主人公は、なめとこ山の麓《ふもと》に住む猟師の小十郎です。小十郎は熊を撃ち、その肝と毛皮を町に売りに出ることで、細々と生計を立てていました。

小十郎は片っ端から熊を撃つ熊捕りの名人でしたが、決して無慈悲な人間だったわけではありません。むしろ熊が大好きでした。

「熊。おれはてまえを憎くて殺したのでねえんだぞ。おれも商売ならてめえも射《う》たなけぁならねえ。ほかの罪のねえ仕事していんだが畑はなし木はお上のものにきまったし里へ出ても誰も相手にしねえ。仕方なしに猟師なんぞしるんだ。てめえも熊に生れたが因果ならおれもこんな商売が因果だ。やい。この次には熊なんぞに生れなよ」

篤《あつ》い信仰心を抱きながら、他の生き物を殺し、食せずには生きられないという矛盾を直視して苦しむ賢治の心の内が、小十郎の言葉をとおして伝わってくるようです。

小十郎は熊の皮と肝を担いで町に売りに出ます。行き先は大きな荒物屋です。ところが、町での小十郎に猟をしている時の勇ましさはなく、実にみじめなものでした。

「旦那さん、先《せん》ころはどうもありがどうごあんした」

あの山では主のような小十郎は毛皮の荷物を横におろして叮《てい》ねいに敷板に手をついて言うのだった。

「はあ、どうも、今日は何のご用です」

「熊の皮また少し持って来たます」

「熊の皮か。この前のもまだあのまましまってあるし今日ぁまんついいます」

「旦那さん、そう言わないでどうか買って呉んなさい。安くてもいいます」

「なんぼ安くても要らないます」

主人は落ち着きはらってきせるをたんたんとてのひらへたたくのだ。あの豪気な山の中の主の小十郎はこう言われるたびにもうまるで心配そうに顔をしかめた。

荒物屋の店主は、へつらう小十郎をさんざんじらした末に、二円というとても安い金額で毛皮二枚を買い受けます。僅《わず》かな収入でも得なくてはその日の暮らしができない小十郎の弱みにつけ込んだ非情とも思える対応ですが、生存競争によってそういう醜い打算や弱者への搾《さくしゅ》取が蔓《はび》延《こ》るのは、いまの社会も全《まった》く同様です。

損得勘定で動いてしまうのは、ある意味で人間の心に縦横に織り込まれた業《ごう》のようなものなのかもしれません。生きていれば、誰もが逃れることのできない苦しみや弱さを、賢治は童話という形で淡々と描いていきます。

現実社会の中で味わう尊い喜び

人間社会の不条理に苦しむ小十郎ですが、この童話にはほのぼのとした温かさを感じる場面があります。その場面が話の素晴らしさを、一層引き立てています。

小十郎がすぐ下に湧水《わきみず》のあったのを思い出して少し山を降りかけたら愕《おどろ》いたことは母親とやっと一歳になるかならないような子熊と二疋《ひき》ちょうど人が額に手をあてて遠くを眺めるといったふうに淡い六日の月光の中を向うの谷をしげしげ見つめているのにあった。小十郎はまるでその二疋の熊のからだから後光が射すように思えてまるで釘付けになったように立ちどまってそっちを見つめていた。すると小熊が甘えるように言ったのだ。

「どうしても雪だよ、おっかさん谷のこっち側だけ白くなっているんだもの。どうしても雪だよ。おっかさん」

するとお母親の熊はまだしげしげ見つめていたがやっと言った。

「雪でないよ。あすこへだけ降るはずがないんだもの」

子熊はまた言った。

「だから溶けないで残ったのでしょう」

「いいえ、おっかさんはあざみの芽を見に昨日あすこを通ったばかりです」

小十郎はじっとそっちを見た。

この後も続く熊の親子の仲睦《むつ》まじい会話を聞いていた小十郎はやがて胸がいっぱいになって、音を立てないようにこっそりと後ずさりしてその場を離れるのです。

人間が辛《つら》い思いを背負って生きることは、いつの時代も変わることがありません。しかし、そういう人生にあっても、私たちは家族や親族、仲間など縁ある人たちと温かい心を通わせ、そのことで苦しみを緩和することができます。

賢治は、人間が理想に反して生きていかなくてはいけない宿命を背負いながらも、心の通じ合う人間関係がどれだけ人生を豊かにするかを私たちに伝えてくれています。それもまた人間の尊い一面なのではないでしょうか。

もう一つ、小十郎と熊が約束を取り交わす場面も印象的です。ある時、小十郎に鉄砲を向けられた熊が「少し残した仕事もあるし、二年だけ待ってくれ。二年目にはおれもおまえの家の前でちゃんと死んでいてやるから。毛皮も胃袋もやってしまうから」と約束し、その言葉どおり二年後に小十郎の家の前で死んでいたのです。

この場面もまた、人間には悲しい業を超えたところに、尊い信頼の心が備わっていることを教えてくれているように思います。

魂は皆と繋がっていたいと願っている

この童話は、小十郎が捕獲しようとした熊に殺される場面で終わりを迎えます。しかし、それが小十郎には本望でもありました。

もうおれは死んだと小十郎は思った。そしてちらちらちらちら青い星のような光がそこらいちめんに見えた。

「これが死んだしるしだ。死ぬとき見る火だ。熊ども、ゆるせよ」と小十郎は思った。それからあとの小十郎の心持はもう私にはわからない。

とにかくそれから三日目の晩だった。まるで氷の玉のような月がそらにかかっていた。雪は青白く明るく水は燐光《りんこう》をあげた。すばるや参《しん》の星が緑や橙《だいだい》にちらちらして呼吸をするように見えた。

その栗の木と白い雪の峯々にかこまれた山の上の平らに黒い大きなものがたくさん環になって集って各々黒い影を置き回々《フイフイ》教徒の祈るときのようにじっと雪にひれふし

たままいつまでもいつまでも動かなかった。そしてその雪と月のあかりで見るといちばん高いところに小十郎の死骸《しがい》が半分座ったようになって置かれていた。

人生を終える時、それまでわだかまりがあった人と和解をして心を繋げたいというのが人間の本性だと言われます。小十郎も熊に殺される瞬間、相手の熊を憎む気持ちなど全くなく、やむを得ず殺してしまった熊たちに心から詫《わ》びたいという思いでいっぱいでした。

そして亡くなった後、人間も熊も月の光に照らされながらお互いに一つの環になり、熊たちは小十郎を弔《とむら》うのです。

私たちのいる現実の世界には辛く苦しい一面がありますが、さらに深い部分にあるのは、お互いが命を差し出して他を支え合うという調和の世界です。だからこそ私たちはこうして生きていくことができます。最後の場面で描かれているのは、まさに調和と光の世界であり、そこに賢治のメッセージが込められていることを感じます。

私は長いこと、亡くなる方の心に寄り添ってきました。枕元でお祈りをし、「いま、何かしたいことがありますか」とお尋ねすると、心にしこりの残る人は、皆さん「あの人ともう一度仲直りをしたい」とおっしゃいます。魂の深いところでは誰もが皆と繋がっていたいと願っているからです。

ある教え子の家庭の話ですが、遺産相続を巡って奥さんとそのお姉さんが喧嘩《けんか》をし、三十年間、お互いに顔を合わせることなく憎み続けていました。ある時、奥さんは病に倒れ、余命数日という状態になりました。見舞った私に細い声で「姉さんともう一度、仲直りがしたい」と言います。しかし、家族は「この場に及んで嫌な思いはさせたくない」と大反対でした。

聞くと、お姉さんは一時間以内の所に住んでいるといいます。「これは会わせてあげなくてはいけない」と思った私は「すぐに呼んでください。私が傍《そば》についていますから大丈夫です」と家族を説得して、お姉さんに来ていただくように連絡を取ってもらいました。

そこで驚くようなことが起きました。病室に来たお姉さんは妹の名前を呼んだかと思うと、飛びつくようにベッドに駆け寄り、奥さんもそれまでの重篤《じゅうとく》な状態が嘘のように体を起こして、思いっきり抱き合ったのです。「ごめんなさい、私が悪かった」「こちらこそ、ごめんなさい」。そう言いながら滂沱《ぼうだ》の涙を流し、積年の恨みを消し去っていったのです。奥さんは間もなくして亡くなりましたが、いまでも忘れることのできない光景です。

生前、このような「仲良し時間」を持つことは、幸せな人生を送る上でとても大事です。中には遠くにいて会えなかったり、既に亡くなっていて時間を共有できない場合もあるでしょう。そういう時でも、相手をイメージしながら心からのお詫びと感謝の気持ちを送ることで、恨みや憎しみを消すことができます。

不思議なもので、人間の発する波動は必ず相手に伝わります。恨みや妬《ねた》みの波動は同じようなものを引き寄せて、暗い現象を引き起こしてしまいますが、愛の気持ち、感謝の気持ちを発し続けていると心が落ち着いてきて、やがて目の前に展開される景色が美しく変わってきます。

物事を悪い方向に向かわせるのも、よい方向に向かわせるのも、すべては自分の心次第なのです。

第三章＊よりよき人生の心得

けれども、思いちがいがハッキリしてくるにつれて僕の気持は明るくなった。

＊……………安岡章太郎『サアカスの馬』

再読を通じて自分を再発見する

若い頃に読んだ名作というのは、年月を経て再びページをめくってみると、最初とは異なる印象を受けることがあります。その間に積んできた経験、人間として遂げてきた成長の度合いによって、同じ文章に触れても受け止め方が違ってくるのです。

これまでに歩んできた軌跡を振り返り、いまの自分自身を深く知る力とするためにも、折に触れて本棚の奥にしまい込んである名作を手に取ってみることをお勧めします。

今回ご紹介する安岡章太郎の『サアカスの馬』は、その意味で再読に値する優れた作品といえます。教科書にも取り上げられたことがありますので、読んだことのある方もいらっしゃることでしょう。当欄をきっかけに改めて紐解《ひもと》いていただくことで、新鮮な感動とともに、新しい自分を発見するきっかけを掴んでいただきたいと思います。

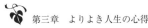

現実を明るく受け止めることの大切さ

僕は、まったく取得《とりえ》のない生徒であった。成績は悪いが絵や作文にはズバ抜けたところがあるとか、模型飛行機や電気機関車の作り方に長じているとか、ラッパかハーモニカがうまく吹けるとか、そんな特技らしいものは何ひとつなく、なかでも運動ときたら学業以上の苦手だった。

この短編小説には、誰もが体験したことのあるような、日常的でごく平凡な心象風景が綴《つづ》られています。

中学生の主人公である「僕」は、何かに秀でていて周りから尊敬を集めるような存在でもなく、かといって人から白い目で見られる不良少年というわけでもありません。可もなく不可もなく、大衆の中に埋没していて誰からもその存在を認められないような一人の少年です。


教室でも僕は、他の予習をしてこなかった生徒のようにソワソワと不安がりはしなかった。どうせ僕にあてたって出来っこないと思っているので、先生は、めったに僕に指名したりはしない。しかし、たまにあてられると僕はかならず立たされた。教室にいては邪魔だというわけか、しばしば廊下に出されて立たされることもあった。けれども僕は、教室の中にいるよりは、かえって誰もいない廊下に一人で出ている方が好きだった。たまたまドアの内側で、先生が面白い冗談でも云っているのか、級友たちの「ワッ」という笑い声の上ったりするのが気になることはあったけれど……。そんなとき、僕は窓の外に眼をやって、やっぱり、

（まアいいや、どうだって）と、つぶやいていた。

この少年は、先生に叱られるなど、何かバツの悪いこと、不都合なことがある度に、

「まアいいや、どうだって」

と呟《つぶや》きます。

ここで留意すべきことは、少年がそう呟く時、「だから自分は駄目だ」とは決して言っていないことです。それが彼の普通と違うところであり、平素の明るさに繋がっているといえます。

この「まアいいや、どうだって」という呟きには、不都合な現実に直面してこれを否定したり、ネガティブに陥ることなく、明るく受け止める力があります。これは人生という決して平坦ではない道を歩んでいく上で大変重要なキーワードだと私は考えます。

たいていの人はこの少年のように特別な才能もなく、大衆に埋没してしまう平凡な存在です。その現実を否定して、もっとできなければ、もっと認められなければと過剰な期待を抱いてしまうと、現実とのギャップの大きさに苦しむことになります。

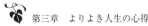

少年の「まアいいや、どうだって」という呟きは、現実を否定せず、まず受け止める素直さの表れであり、「こうでなければ駄目」という際限のない悩みに陥らないための少年なりの知恵と見ることもできるのです。

思いちがいにとらわれた私たちの思考

少年の通う中学校に隣接する靖国神社では、毎年春と秋にお祭りがあります。敷地内に設置された大小様々なテントの下で連日たくさんの催し物が行われ、参拝者の雑踏に混じって楽隊や合唱の音、客を呼ぶ声などが響き、大変な活気に包まれます。

そうした中、少年は一頭の馬を見出すのです。

いつか僕は、目立って大きいサアカス団のテントのかげに、一匹の赤茶色い馬がつながれているのを眼にとめた。それは肋骨《ろっこつ》がすけてみえるほど痩せた馬だった。年とっているらしく、毛並にも艶《つや》がなかった。けれどもその馬の一層大きな特徴は、背骨の、ちょうど鞍《くら》のあたる部分が大そう彎曲《わんきょく》して凹《へこ》んでいることだった。いったい、どうしてそんなに背骨が凹んでしまうことになったのか、僕には見当もつかなかったが、それはみるからに、いたいたしかった。

少年はその馬についてあれこれと思いを巡らします。

自分一人、廊下に立たされている僕は、その馬について、いろいろに考えることが好きになった。彼は多分、僕のように怠けて何も出来ないものだから、曲馬団《きょくばだん》の親方にひどく殴られたのだろうか。殴ったあとで親方はきっと、死にそうになった自分の馬をみてビックリしたにちがいない。それで、ああやって殺しもできないで毎年つれてきてはお客の目につかない裏の方へつないで置くのだろう。そんなことを考えていると僕は、だまってときどき自分のつながれた栗の木の梢《こずえ》の葉を、首をあげて食いちぎったりしているその馬が、やっぱり、

（まアいいや、どうだって）と、つぶやいているような気がした。

少年はこのみすぼらしい馬に自分の姿を投影しながら、あたかも馬が、「まアいい

や、どうだって」と呟いているかのような印象を抱きます。けれども決して、かわいそうな馬だとは思いません。少年自身がそうであるように、馬も自分の置かれた立場を受け容《い》れて、明るく生きているに違いないと見るのです。

ところが少年はある日、その馬の本当の姿を知り衝撃を受けるのです。

おどろいたことに馬はこのサアカス一座の花形だったのだ。人間を乗せると彼は見ちがえるほどイキイキした。馬本来の勇ましい活溌な動作、その上に長年きたえぬいた巧みな曲芸をみせはじめた。楽隊の音につれてダンスしたり、片側の足で拍子をとるように奇妙な歩き方をしたり、後足をそろえて台の上に立ち上ったり……。

テントの陰に繋がれていた時のみすぼらしい姿から膨らませていたイメージと、舞台で華々しく活躍する姿とのあまりにも大きなギャップに、少年は最初あっけにとられながら馬を見つめます。そして少年の心に大きな転換が起きます。

いったいこれは何としたことだろう。あまりのことに僕はしばらくアッケにとられていた。けれども、思いちがいがハッキリしてくるにつれて僕の気持は明るくなった。

ここに作品のキーワードとなる「思いちがい」という言葉が出てきます。

一見みすぼらしく、不本意な現実を「まアいいや、どうだって」と明るく受け容れている印象を抱いていた馬が、実はサーカス一座の花形で、目の覚めるような演技を披露して人々から大きな喝采《かっさい》を浴びている。

この場面は、私たちが平素いかに多くの思いちがいに支配されて生きているかということ、そしてその思いちがいを消し去ったところに、広々とした地平がひらけていることを気づかせてくれるのです。

生きることは可能性に満ちている

一見、何の変哲もない出来事を描写しているようでいて、きわめて大切な気づきを与えてくれるこの作品は、作者である安岡章太郎の実体験をもとに書かれたといわれています。

安岡は戦争や闘病生活など、不本意な出来事を乗り越えて作家として大成しました。

先輩作家の中には、後世に残る作品を著しながらも、その人生の途上で自ら命を絶つ人もたくさんいました。その一方で安岡は、たくさんの優れた作品を創作しながら、穏やかに、健康的に齢を重ねて今日に至っています。

この作品には、そういう彼の生き方の知恵ともいうべきものを垣間見ることもできます。

私たちは年を重ねるにつれて様々な固定観念を抱き、この程度のものだと自分を小さな枠の中に限定してしまいがちです。同時に、周りのことも様々な思いちがいの目で見てしまうことがあります。

そうした思いちがいに陥って自分の可能性を狭めてしまわないためには、まず自分が何らかの思いちがいをしていないかと、時折客観的に振り返る習慣を持つとよいでしょう。自分の考えが絶対正しいという思い込みを捨て、物事に対して、これは駄目、あれは悪いと簡単に決めつけないこと。もっとたくさんの違った見方があることを認識することが大切です。

息をつめて見まもっていた馬が、いま火の輪くぐりをやり終って、ヤグラのように組み上げた三人の少女を背中に乗せて悠々《ゆうゆう》と駈け廻っているのをみると、僕はわれにかえって一生懸命手を叩いている自分に気がついた。

少年は自分の思いちがいを消し去ってくれた馬を通じて、世の中には自分の狭い視野には収まりきらないものがたくさんあることに気づかされます。

人生はもっと大きく広がっており、生きることは可能性に満ちている。少年の拍手は、小さな自分から抜け出して大人へと成長していく自身への応援歌に他ならない、と私は思うのです。

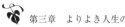

彼は嘗て瓢簞に熱中したやうに今はそれに熱中して居る

＊……………志賀直哉『清兵衛と瓢簞』

子供の姿をとおして人生が浮かび出てくる

〝小説の神様〟とまで呼ばれた志賀直哉の作品には、人生の一面を鋭く簡潔な文章で切り取ったものが多くあります。中でも『清兵衛《せいべえ》と瓢簞《ひょうたん》』は、淡々とした筋の運びの中に、子供の姿をとおして、いろいろな人生が鮮やかに浮かび出てくる作品です。

教科書にも採用されていますから、作品名を聞いただけで自分の子供の頃を懐かしく思い出す人も少なくないでしょう。人生の様々な経験を経た後で読むと、作品自体は何も変わっていないのに、新しい感動や発見が得られます。それはその人の成長を物語っているのです。

次の冒頭の一文に、志賀直哉がこれを書かずにいられなかった思いが込められています。

これは清兵衛と云《い》ふ子供と瓢簞の話である。此《この》出来事以来清兵衛と瓢簞とは縁が断《き》れて了《しま》ったが、間もなく清兵衛には瓢簞に代わる物が出来た。それは絵を描く事で、彼は嘗《かつ》て瓢簞に熱中したやうに今はそれに熱中して居る……。

この結論めいた書き出しに続く話は次のようになります。

十二歳の清兵衛は瓢簞に凝《こ》り、皮つきの瓢簞を買ってきては、自分で磨き抜くのが楽しみでした。いつも瓢簞のことで頭がいっぱいで、町を歩いていても、瓢簞を下げた店があれば、必ずその前に立って見ました。しかも、古瓢《こひょう》や奇異を衒《てら》ったものには目もくれず、平凡な格好を好むのです。

子供が瓢《ひさご》いじりをするのを苦々しく思う大工の父親は、客と一緒になって瓢は平凡なのではなく評判の「馬琴の瓢簞」がいいと言って清兵衛を見下します。しかし、清兵衛は大人たちがよいと言うものが必ずしもよいとは限らないことをよく知っていました。

ある日、清兵衛は小さい店に下がっていた瓢箪がいたく気に入り、それを買うとすっかり夢中になりました。学校でも机の下で磨かずにはいられないほどでした。ところが、修身の時間に教師に見つかってしまいます。教師は「到底将来見込みのある人間ではない」とののしり、丹精を凝らした瓢箪を取り上げてしまうのです。

教師は清兵衛の家にまで訪ねてきて、母親に「清兵衛を取り締まらない」と食ってかかりました。母の泣き言はくどくどと続きます。仕事場から帰ってこの話を聞いた父は「将来、とても見込みのないやつだ」と教師と同じことを言って清兵衛を叩き、柱に下げていた磨き上げたたくさんの瓢箪を割ってしまいました。

清兵衛を叱りつけた教師は、取り上げた瓢箪を、まるで穢《けが》れたものであるかのように、年寄りの小使いに投げ与えます。二か月ほど経って、ふと金が欲しくなった小使いは、その瓢箪をいくらでもいいから売ろうと思いつき、骨董屋に持っていきます。

小使いと骨董屋の瓢箪を巡るやりとりは、こう記されています。


骨董屋はためつ、すがめつ、それを見てゐたが、急に冷淡な顔をして小使の前へ押しやると、「五円やったら貰うとかう」と云った。

小使は驚いた。が、賢い男だった。何食はぬ顔をして、

「五円じゃ迚《とて》も離し得やしえんなう」と答えた。骨董屋は急に十円に上げた。小使はそれでも承知しなかった。

結局五十円で漸《ようや》く骨董屋はそれを手に入れた。——小使は教員から其人《その》の四ヶ月分の月給を只《ただ》貰ったやうな幸福を心ひそかに喜んだ。が、彼はその事は教員には勿論《もちろん》、清兵衛にも仕舞《しまい》まで全く知らん顔をして居た。だから其の瓢箪の行方に就いては誰も知る者がなかったのである。

然し其の賢い小使も骨董屋がその瓢箪を地方の豪家に六百円で売りつけた事までは想像も出来なかった。


この短編小説の終わりは、冒頭と呼応して、次の短い節で結ばれています。

……清兵衛は今、絵を描く事に熱中してゐる。これが出来た時に彼にはもう教員を怨《うら》む心も、十あまりの愛瓢を玄能《げんのう》で割って了った父を怨む心もなくなってゐた。

然し彼の父はもうそろそろ彼の絵を描く事にも叱言《こごと》を言い出してきた。

自分の世界を持っていた清兵衛

『清兵衛と瓢箪』は『小僧の神様』と並んで、志賀直哉の作品の中では、少年と彼を巡る人々の心の動きが端的に表現された優れた短編小説です。読み終わった時、どこにもこういう話はありそうに思われます。瓢箪でなくてもプラモデルなどに夢中な少年を思い浮かべることができるでしょう。

それに対して、この話に出てくるような大人が多いことも否めません。修身を説く教師の少年への残酷な態度、教師のお叱りで怯《おび》え上がり清兵衛に泣き言を言う母親、怒鳴る父親。こうした大人の少年への態度は、一時代昔のものと言い切れるでしょうか。試験ができなかった時や、学校でうだつの上がらない子供に対して、こうした態度を示す大人がいないと言えるでしょうか。偏差値だけを見て子供の才能の芽を摘み取る大人はいないでしょうか。

『清兵衛と瓢箪』を読むと、大人が子供を理解することの難しさをしみじみと考えさせられます。しかし、こうした大人たちに囲まれながら、清兵衛がいじけたり、ひねくれたりしないのがこの小説の救いです。少年には耐えられないほどの仕打ちを受けながら、清兵衛があくまで子供らしいのは、彼が自分の世界を持っているからに他なりません。

清兵衛は、瓢箪を巡る世界では完全に自由でした。大人たちが、春の品評会の馬琴の瓢箪の大きさや奇を珍重し、感心して話し合うのを聞きながら、彼は心で笑っていられるのです。そして、思わず「あの瓢はわしには面白うなかった。かさ張っとるだけじゃ」と口を入れ、反発を買ってしまいます。

清兵衛は大人たちが誉《ほ》めるからいいと思い込んだりはしていません。彼は自分が本当によいと感じ、本当に優れたものだと確信を持ち得たもののみに価値を置いていました。つまり、自分自身の価値判断で美を見つけ出していたのです。

私たちは人の考えに揺り動かされ、人の目を恐れたり見栄に気を取られたりすると、自分自身の価値判断を下すことができなくなってしまいます。それは自由を失うことを意味します。

清兵衛は生の瓢箪の口を切り、種を上手に出し、栓も自分で作り、茶渋で臭味を抜き、父の飲み残した酒を貯えて、それで瓢箪を磨くほど丹精を込めました。この時、清兵衛は我を忘れていました。おそらく大人が滅多に味わうことのない没我の境に浸りきっていたことでしょう。

没我の境は、いわば至福の時間です。それは決して酒を飲んで憂さを晴らしている時間でもなければ、自分を棚に上げて他人の悪口で鬱憤《うっぷん》を晴らすことでもありません。「我を忘れる」のは、もっと積極的な生への関わりの態度です。

清兵衛が瓢箪に夢中になり、瓢箪を巡る世界の中で自由であり得たのは、彼が自分の内面に敏感で正直であり、自分が選び取ったものへの正しい確信を持っていたからなのです。

安易な満足からより純粋な充足感へ

この作品を久しぶりに読み直した友人がつくづく言っていました。

「私たちはいくつになっても、自分の瓢箪を探し求め続けるのでしょうね。瓢箪は人によってそれぞれ形が違うでしょうが」

清兵衛にとっての瓢箪は内面からの充足感であり、人間を生き生きさせるものでした。人は死ぬまで瓢箪やそれに代わるものを求め続けます。そして、その充足感の中に完全な自由があることを知っているのです。しかし、すぐに人は利害に目が眩《くら》んだり、人の目に気を遣いすぎたり、欲を出して自分を縛って、大切な「自由さ」を心から閉め出してしまいます。

私の叔母は戦争中に東京で頑張りとおして五度戦災に遭い、疎開先にあった持ち物まで全部消失しました。すべてを失って終戦になった時、こう言いました。

「生まれて初めて、こんなのびのびした気持ちを味わいました。何もないけど、その代わり何も恐ろしくない。全《まった》くの自由です」

廃墟と化した東京の真ん中で、そう人と話していた叔母の明るい顔の輝きは、子供だった私の心に焼きついたものでした。数年後、叔母の家を訪ねると、叔母は「戦争で焼けなければ、あれもあったのに。他のあれもいまごろどんなに役立っているか知れないのに」と言葉を並べ立てました。

そして、「人間っておかしなものね。何も持っていない時の完全な自由の醍醐味《だいごみ》を味わいながら、すぐに物を欲しがる。そして物に縛られて自由を失っていく。焼けてしまった時は、何も欲しくなく自由がたまらなく嬉しかったのに、一つ物を持ち始めると、失ってしまったものにまで執着してしまって」と自分を笑うのでした。

私たちは現代社会を生きていく上では無一物になることもできなければ、清兵衛のように机の下で瓢箪を磨き続けることもできません。しかし、「清兵衛の瓢箪」、つまり一人ひとりが内面から充足するものを求めてやまないことは万人に共通していきます。

大切なのは、この一人ひとりの「瓢箪」は、何に価値を置くかでその人の人生が大きく変わっていくことです。高い価値を自らの心の中で求め、他の人が言うからではなく、自分の心の本音に正直であること、本当の意味で自分の人間性を回復してくれるものに心を開くこと、そして他の人の心に自由が息づくように気を配り、努力することこそ、最も人間らしい優れた価値判断を持てるのではないでしょうか。

清兵衛の関心は瓢箪から絵へと変わっていきましたが、一貫して自由な心で美を求め続ける清兵衛の少年らしさに多くの人が郷愁を覚えることでしょう。それは、大人になっても誰もが清兵衛の求め続けたものを求めているからです。そして誰しもが安易な満足から、より純粋なより人間らしい充足感を得たいと心の底で願っています。私たちに必要なのも、より高い価値を信じ望み、それを基盤として人を豊かに愛してこの世を生き抜いていくことなのです。

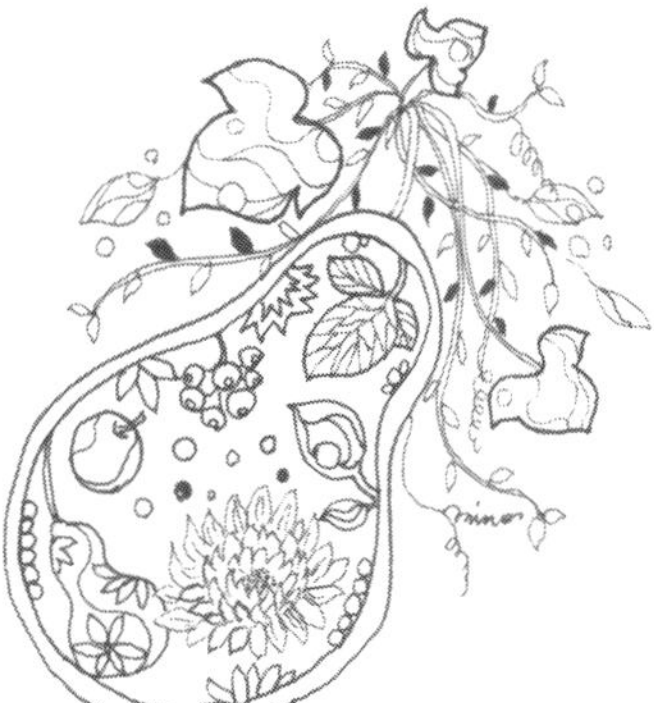

いいとも、いいとも。一しょに暮すがいい。わしらにゃ何でもどっさりある。

＊……レフ・トルストイ『イワンの馬鹿』

何でも分け与えてしまうイワン

レフ・トルストイ（一八二八～一九一〇）の創作民話に『イワンの馬鹿』があります。誰もが一度は題名を耳にしたことがあるこの有名な民話も、実際に読んだという方はそれほど多くないのではないでしょうか。短い民話ですし、教えられるところが多い作品ですので、一度お読みになることをお薦めします。

ここでは菊池寛《きくちかん》の日本語訳をもとに、部分的ではありますが、そこに秘められた教訓や学びを共に味わってみたいと思います。

昔、ある村に金持ちの農夫がいました。この農夫には兵隊のシモン、肥満のタラス、馬鹿のイワンという三人の息子と、聾唖《ろうあ》者のマルタという娘がいました。兵隊のシモンは高い位に上り多くの領地を得て、王室のお姫様を嫁にもらいました。しかし、この嫁は金遣いが荒く、シモンはいつもお金に不自由していました。タラスは金を儲《もう》けてある商人の家に婿《むこ》入りしましたが、それでもなおお金がほしいと思って生活をしていました。

働き者で背中が曲がるほど農作業に精を出すイワンやマルタとはまるで正反対でした。

金がないシモンとタラスはそれぞれに年老いた父親の所に行って財産などを分けてほしいと無心します。父親は「おまえは家のためになることは何もしたことはない、この家にあるものはイワンやマルタが稼ぎ上げたものだ。どうしてそんなことができよう」と、頼みを断ります。しかし、父親からその話を聞いたイワンは自分たちがせっかく稼いだ財産を、気前よく分け与えてしまうのです。

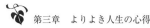

（タラスは）イワンに向かって、「おいイワン。おれに穀物を半分おくれよ。おれは道具なんか貰《もら》おうとは思わない。あの葦毛《あしげ》の馬を一匹貰おう。あれはお前の畑仕事にはちょっと不向きのようだから」

と言いました。イワンは笑って、「何でも入るだけ持って行くがいい。私はまたかせいで手に入れるよ」

と言いました。

父親から財産をもらったシモンとタラスはほくほく顔で家に帰り、イワンの家に残ったのは、一匹のよぼよぼの牝馬《めうま》だけでした。それでもイワンは何事もなかったかのように、その後も農夫をしながら両親を養っていきます。

この三人の様子を見ていたのが、年老いた悪魔でした。悪魔は仲違《なかたが》いをするだろうと思っていた兄弟たちが喧嘩《けんか》もせずに別れていったことに腹を立て、三人の小悪魔を呼び集めて、三人が憎しみ合うよう策を講じよと命じるのです。

向こう見ずの兵隊のシモンには他国の領土に攻め入るようそそのかし、シモンは大敗して這々《ほうほう》の体《てい》で逃げ帰ります。欲深いタラスには物を次々に買い込むよう働きかけ、シモンを無一文にしたばかりか大借金を負わせます。
イワンには腹痛を起こさせ農作業ができないよう農地を石で固めてしまうのですが、小悪魔は最後までイワンを騙すことはできませんでした。小悪魔は思わず愚痴《ぐち》をこぼします。

あいつはとてつもない馬鹿で鋤《すき》を持って来て鋤《す》きはじめた。あいつは腹が痛いので、うんうん唸《うな》りながら、それでも仕事は止《や》めない。そこでおれはあいつの鋤を破《こわ》してやった。ところがあいつは家へ行って別のを持って来てまた鋤きはじめた。おれは地面へもぐり込んでその鋤先を捉《とら》えた。が、鋤先にはいい捉えどころがない。あいつは一生けんめい鋤へ寄っかかる。おまけに鋤先は鋭く切れる。とうとうおれは手を切った。あいつはその畑をほとんど鋤いてしまって、あと小さい畝《うね》一つ残しただけだ。

小悪魔は結果的にイワンを騙せなかったばかりか、イワンの反撃に遭って命乞《ご》いまでするのです。

真に人間の心を満たすものは何か

以上は『イワンの馬鹿』の冒頭部分ですが、兵隊のシモンは権力欲、肥満のタラスは金銭欲の象徴であることがお分かりになるでしょう。シモンとタラスがイワンから助けてもらった恩をすっかり忘れてさらに欲深くなったように、人間の欲には際限がありません。ここに登場する悪魔は人間の心に潜む様々な邪念と捉えてもいいと思います。過分な欲望はどこまでも大きく膨らんで、ついに自分自身を蝕《むしば》み、最後には滅ぼしてしまう力を持っているのです。

一方のイワンはどうでしょうか。欲に満ち溢れた社会にあっても、周囲の環境にまったく左右されず、欲に一切頓着《とんちゃく》することもなく、黙々と畑を耕し続けました、そういうイワンは時に世間から見下げられ、「お人好し」と馬鹿にされる存在だったのかもしれません。

では、イワンは不幸せだったかといえば、不幸せどころか心はいつも明るく、幸せ感で満ち溢れていました。皆から馬鹿にされながらも、真に人間の心を満たすものが何かをよく知っていたのです。『イワンの馬鹿』という題名には「イワンこそが真の賢者である」という逆説的な意味が込められていることは、問うまでもないでしょう。

この小説は、その後もイワンと悪魔の戦いが続きます。小悪魔に勝ったイワンは、ある時から無欲で働き者が集まる国の王様になります。悪魔は時には軍隊で攻め入り、時には金銭でたぶらかそうとしてこの国を支配しようとしますが、人々にあまりにも欲がないために最後には支配を断念してしまいます。

作品は次のような言葉で結ばれています。

イワンは今でもまだ生きています。人々はその国へたくさん集まって来ます。かれの二人の兄たちも養ってもらうつもりで、かれのところへやって来ました。イワンはそれらのものを養ってやりました。

「どうか食物を下さい。」

と言って来る人には、誰にでもイワンは、

「いいとも、いいとも。一しょに暮すがいい。わしらにゃ何でもどっさりある。」

と言いました。

ただイワンの国には一つ特別なならわしがありました。それはどんな人でも手のゴツゴツした人は食事のテイブルへつけるが、そうでない人はどんな人でも他の人の食べ残りを食べなければならないことです。

周りからは「馬鹿」と思われようが、そういうことは意に介さず、また理屈を言うこともなく、自分に与えられた仕事や役割をこつこつと続けていくことの大切さをイワンは教えてくれています。

いまの世の中は物や情報が溢れていて、生きる上での様々な条件は整えられていますす。それでも多くの人たちは「まだ足りない、まだ足りない」「もっともっと」と急《せ》かされるようにして生活しています。ともすれば、そういう誘惑に流されそうになることもありますが、一方でその恐ろしさを知り、人間の深い深い幸せはまた別のところにあることを自覚する知恵が私たちには必要なのです。

手放すことによって得られるものがある

この小説を読みながら私はアメリカのミニマリズムという考え方を思い浮かべました。これは物を持たずにシンプルに生きる考え方のことです。少し前に日本で広まった「断捨離《だんしゃり》」をイメージすると分かりやすいかもしれません。そして、それを実践し、欲を減らしていくうちに人生の本質が見えてくるというのです。

この運動の推進者であるジョシュア・ベッカーに『より少ない生き方』（かんき出版）という本があります。ジョシュアはこの本の中で「ものを手放すことで得られるメリット」として次のようなことを挙げています。

・時間とエネルギーが増える
・お金が増える
・人のためになることができる
・自由が増える

・ストレスが減る
・環境にやさしい
・質のいいものを持てる
・子供のいい手本になれる
・人に面倒をかけない
・人と比べなくなる
・満足できる

さらに、ものを手放すことのメリットは以上のような実際的な効果だけではないといいます。ミニマリストになり、不要なものを処分すると、理想の人生をつくる第一歩を踏み出すことができると言うのです。

その例として、所有物が少なくなれば、それだけ意味のある行動に使える時間が多くなる。旅行する自由が手に入り心が穏やかになる。頭の中がすっきりするので、難しい問題を解決する気力が湧いてくる。お金に余裕ができるので、意義のある活動を支援することができる。本当にやりたい仕事を目指すことができる、などを挙げています。

このミニマリズムはイワンの生き方と通じるものがあります。ミニマリズムが最終的に目指しているのは、イワンのような生き方である、と言っても決して過言ではないと思います。

大きな家に住み、財をたくさん貯《たくわ》えて生きることをよしとする人たちからすれば、それは馬鹿馬鹿しいことかもしれません。しかし、ミニマリズムを実践している人は大きな家や財産に執心《しゅうしん》する人には決して得られない喜びと幸福感を味わって生きているのです。

『イワンの馬鹿』の中に、手にマメをつくって働く人たちを悪魔が見下げて、自分のように頭を使って働くほうが利口だと豪語する場面があります。しかし、悪魔は頭だけではパン一つつくりだせないことに気づいて、イワンとの勝負に負けてしまいます。

「人よりも儲けたい」「偉くなりたい」「称《たた》えられたい」、これらはすべて自分の頭が勝手に創りだした妄想であり、現実のものではありません。日本の伝統的な坐禅は、その頭の働きをも手放せと教えています。次々に湧き起こる迷いを手放していくことで真実の自分が見えてくるという教えが仏教にはあります。ミニマリズムは物だけでなく、心についても言えることなのです。

騒がしい環境に生きる私たちですが、少しずつでもシンプルな生活を心掛け、坐禅や瞑想《めいそう》などを通して時には頭の中を空っぽにすることも、よりよく生きる上での秘訣《ひけつ》と言えるかもしれません。

その生涯をもて　小鳥らは
一つの歌をうたひ暮す
単調に　美しく
疑ふ勿れ　黙す勿れ
ひと日とて　與へられたこの命を

＊……………三好達治『裾野』

バランスを取ることの大切さ

三好達治は、格調高く叙情豊かな作風で知られる昭和期の詩人です。
特定の信仰は持っていませんでしたが、とても宗教的な感覚に富んだ人で、弱く、挫折しがちな存在である人間に対して、大自然は必ずそこから立ち直る力を与えてくれることを、作品を通じて語りかけてくれ、読む者の心に希望を与えてくれます。
今回はその珠玉の作品の中から、『艸千里《くさ》』という詩集の「涙」という詩を読んでみましょう。

とある朝《あした》　一つの花の花心から
昨夜《ゆうべ》の雨がこぼれるほど

小さきもの
小さきものよ

お前の眼から　お前の睫毛《まつげ》の間から
この朝　お前の小さな悲しみから

父の手に

こぼれて落ちる

今この父の手の上に　しばしの間
温かい
ああこれは　これは何か

それは父の手を濡らし
それは父の心を濡らす

それは遠い国からの
それは遠い海からの

それはこのあはれな父の　その父の
そのまた父の　まぼろしの故郷《ふるさと》からの

鳥と歌と　花の匂ひと　青空と
はるかに続いた山川との
——風のたより
なつかしい季節のたより

この朝　この父の手に
新しくとどいた消息

詩は、悲しみに涙を流す子供の描写から始まります。

「一つの花の花心から／昨夜の雨がこぼれるほど」という表現から、子供の切実な悲しみが凝縮して伝わってきます。父の手にこぼれ落ちた涙は、しばしの間温かく、温かいがゆえに子供の悲しみの深さがよけいに伝わるものの、それに対して何もしてやれない父親の心をも悲しませ、二人の悲しみが重なり合います。

私たちがこの現実を生きる上では、胸が張り裂けるような絶望感、孤独感に苛《さいな》まれることもあるでしょう。できればそういう辛《つら》い思いはしたくない。いいことばかり起きてほしいと願うのが人情です。

そうしたところから、最近はプラス思考、ポジティブ・シンキングの大切さが各所で喧伝《けんでん》され、ネガティブな考え方が否定的に見られる風潮があります。

物事をプラスに考えることはもちろん大切であり、それによってよい出来事が引き寄せられることも真理でしょう。ただ、私が危惧《きぐ》するのは、厳しい現実の中でそれを思うように実践できない人が、いざマイナスに感じられる出来事に遭った時、それが自分のマイナス思考によって引き寄せられたものと思い込み、悪いのは自分、自分は駄目な人間、と自分を責めてしまいがちなことです。マイナスなことが起こってはならない、というある種の完璧主義に陥ってしまうと、自分をさらに追い込んでしまうことになるのです。

人生は必ずしも自分の思いどおりに運ぶものではありません。積極的に考えることの大切さを言われれば言われるほど、逆にそのとおりにはいかない現実に直面した時、大きな葛藤《かっとう》を抱えてしまうことにも繋がりかねません。

人間の本性は決して完璧ではなく、喜びに満たされることもあれば、悲しみに打ち拉《ひし》がれることもあるのが現実です。大切なことは、その両方を自分で上手《うま》くバランスを取りながら受けとめ、生きていくことなのです。

両手を合わせ、すべてを受け入れること

続きを見てみましょう。

「このあはれな父の　その父の／そのまた父の　まぼろしの故郷」

一粒の涙を流す時、それを受けとめてくれる父がいる。けれども父も決して強い人であるとは限らず、自分を駄目だと感じ、我が子と同じように涙を流すこともある。その父にもかつては父がおり、涙を流した時にその思いを受けとめてくれていたのです。

私たちは自分が一人で生きていると思いがちです。けれども実は、父の父、さらにその父と、連綿と続くご先祖の血を受け継いで、いまここにいるのです。そしてそのご先祖たちも、各々が辛《つら》い思いをしながら懸命にこの世を生きてきたのです。私たち

が辛い出来事に遭うのも当たり前といえましょう。

「鳥と歌と　花の匂ひと　青空と／はるかに続いた山川」

また、私たちは先祖ばかりでなく、鳥の歌、花の匂い、青空、そしてはるかに続いた山川等々、美しい自然に囲まれて生きています。そして、悲しみに傾いた私たちにバランスを取り戻すエネルギーを絶えることなく与え続けてくれています。

「風のたより／なつかしい季節のたより／この朝　この父の手に／新しくとどいた消息」

なつかしい季節のたよりとともに、また新しい朝がやってくる。だからいつまでも悲しみに沈んでいないで、心のバランスを取り戻しなさい。それがこの現実を生きていくことなのですよ。そんなメッセージを私はこの作品から受け取るのです。

バランスを取るということは、よいことも悪いことも両方受け入れることです。それはちょうど両手を合わせて合掌する姿にも通じています。両手を合わせることで祈りと感謝の心が生まれ、その時、遠い先祖や大自然がバランスを取り戻すエネルギーを与えてくれるのです。

よいことばかりでなければ駄目というのは、ものの捉《とら》え方が一面的に過ぎます。両手を合わせ、よいことも悪いことも超えた穏やかな心で手を合わせた時、感謝に満ちた深い心になっていく。それがバランスの取れた中庸《ちゅうよう》の道です。


ある若い男性ががんにかかり、余命六か月と診断されました。自分は何も悪いことをしていないのに、なぜこんな酷《ひど》い目に遭わなければならないのか。男性は当初、天を恨《うら》んでいました。

よいことばかりを望むのが人情であるとともに、人は誰しも健康でありたい、病気にはかかりたくないと願うものです。その男性が天を恨む気持ちもよく分かります。しかし私はその男性に、病気になってどんなよいことがありましたか、と問いかけたのです。

最初は、肉体的な苦痛や、仕事ができなくなったことなど、ネガティブなことばかり浮かんできました。けれども私の問いかけを真摯《しんし》に反芻《はんすう》するうちに、次第に命のありがたさ、病院のありがたさ、家族がよくしてくれ、友人が親切にしてくれるありがたさに思い至り、自分は一人ではないことをしみじみと感じ始めたのです。

そして、健康を願うばかりでなく、病で痛い思いをしたり、不安に包まれる現実を受け入れることも含めて、生きることなのかもしれない、と気づき始めました。辛いことと楽しいこと、両方併せて引き受けることを決心したのです。

彼はそれから一切愚痴を言わなくなりました。そして一週間かけて、それまでの人生でご恩をいただいた人をすべて思い出し、その一人ひとりに感謝の言葉を一言ずつ書き綴《つづ》っていきました。

小学校の時の友人に、教科書を忘れた時に見せてくれてありがとう。お母さんに、この病気が分かった時に一緒に泣いてくれてありがとう。お父さんに、この前好物のトンカツを買ってきてくれてありがとう……。

通り一遍の感謝ではなく、些細《ささい》なことでも具体的に、一つひとつ思い出しながら、心を込めて綴っていきました。

すべてを書き終え、これでもう何も思い残すことはない、と満足して寝た明くる日、検診で奇跡が起きました。男性のがんがすべて消えていたのです。

心と体は密接に結びついており、心の持ち方が変わることで奇跡のようなことも起こり得るのです。私はそういう事実をこれまでたくさん見てきました。もちろん、命を落とされる方もあります。そういう方でも、心の持ち方を変えることで、安らかに旅立っていかれるのです。

自分だけの歌を精いっぱい歌い続ける

達治には「裾野《すその》」という四行詩もあります。

その生涯をもて　小鳥らは
一つの歌をうたひ暮す　単調に　美しく
疑ふ勿《なか》れ　黙《もだ》す勿れ
ひと日とて　與へられたこの命を――

両手を合わせ、深く穏やかな心に至った時、人は他人とは違う自分を発見します。

自分の命は決して他人とは分かち合えません。自分の命を生き抜くところに自分らしい人生が開けてゆくのです。

小鳥たちの歌う歌は単調かもしれませんが、決して他人には歌えない歌です。同様に私たちも、自分らしく、自分だけの歌を歌って生きることが大切です。

それは目の前にある自分がやるべき仕事、使命に心を尽くしていくことです。辛い出来事があっても、いつまでも悲しみに暮れることなく、それを受け入れ、自分のすべきことに精いっぱい取り組むことで、道は開けてゆくのです。

ポジティブ・シンキングも引き寄せの法則も、私たちを幸せに導いてくれる真理であることに違いはありません。しかし、常によきことばかり起きなければならない、という完璧主義に陥らないことです。大切なことは、人生ではよいことも悪いことも両方あって当たり前という、ありのままの現実を受け入れることです。心静かに両手を合わせ、いま生かされていることに感謝をしつつ、自分の歌を歌い続けること。決して立派な歌でなくてもいいのです。一人ひとりが自分にしか歌えない歌を精いっぱい歌い、自分らしくこの人生を生き抜いていただくことを願ってやみません。

今でもべつにお前のことをおこってはいないんだ。

＊………井伏鱒二『山椒魚』

岩屋に閉じ込められた山椒魚

井伏鱒二《いぶせますじ》（一八九八〜一九九三）の『山椒魚《さんしょううお》』は、高校の国語教科書にも出てくるお馴染《なじ》みの作品です。「山椒魚は悲しんだ」というインパクトのある冒頭の一文をご記憶の方も多いことでしょう。

山椒魚は棲《す》み家である岩屋に二年間ジッとしている間に体が大きくなり、気づいた時には岩屋から出られなくなっていました。山椒魚の頭は「出入口を塞《ふさ》ぐコロップ（コルク）の栓《せん》」と化し、「泳ぎまわるにはあまりに広くなかった。彼は体を前後左右に動かすことができただけである」と書かれているほど、狭い空間に押し込められ、自由を奪われてしまったのです。

この状態は、新型コロナウイルスの感染拡大を防ぐためにテレワークが求められるいまの時代と、とてもよく似ています。一日中自宅に籠《こ》もっていると鬱々《うつうつ》とした気持ちになるように、山椒魚も自分の中に沈潜《ちんせん》してやり場のない気持ちに駆られるのでした。


或《あ》る夜、一ぴきの小蝦《こえび》が岩屋のなかへまぎれ込んだ。この小動物は今や産卵期のまっただなかにあるらしく、透明な腹部一ぱいに恰《あたか》も雀《すずめ》の稗《ひえ》草の種子に似た卵を抱えて、岩壁にすがりついた。

（中略）

この一ぴきの蝦は山椒魚の横腹を岩石だと思い込んで、そこに卵を産みつけていたのに相違ない。さもなければ、何か一生懸命に物思いに耽《ふけ》っていたのであろう。

山椒魚は得意げに言った。

「くったくしたり物思いに耽ったりしているやつは、莫迦《ばか》だよ」

蝦が屈託したり物思いに耽ったりしているはずはありません。そう感じるのは山椒魚自身が屈託し、様々な妄想に振り回されているからです。つまり、弱さを受け入れられない自分の心を蝦の姿に重ね合わせながら、蝦をあざ笑っているわけです。それは同時に自身への嘲笑《ちょうしょう》と捉《とら》えることもできます。

あざ笑っていた蝦と同列でいることにいたたまれなくなった山椒魚は、狭い岩屋から出ようと試みます。しかし、全身に力を込めて岩に頭をぶつけてもビクともしません。それどころかもがけばもがくほど周囲の水が汚れ、住みにくくなっていきます。

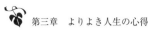

この騒ぎのため、岩屋のなかではおびただしく水が汚れ、小蝦の狼狽《ろうばい》といってはたいていではなかった。けれど小蝦は、彼が岩石であろうと信じていた棍棒《こんぼう》の一端がいきなりコロップの栓となったり抜けたりした光景に、ひどく失笑してしまった。全《まった》く蝦くらい濁った水のなかでよく笑う生物はいないのである。

私たちも自暴自棄になったり、自分勝手な言動を繰り返したり、不遇を誰かのせいにばかりしていると、自分を取り囲む環境や人間関係がいつの間にか悪化して、生き辛《づら》い状況に追い込まれてしまいます。誰かがそうするのではなく、他ならぬ自分で自分を窮地に追い込んでしまうのです。そして、それまで嘲《あざけ》っていた人たちから逆に嘲られる結果を生んでしまいます。

このように『山椒魚』という作品は、私たちが生きる上での様々な示唆《しさ》を与えてくれる大変興味深い作品です。

罵り合いをやめた山椒魚と蛙

岩屋から逃げ出す試みが徒労に終わった山椒魚は、目から涙を流しながら「ああ神様！ あなたはなさけないことをなさいます」「私は今にも気が狂いそうです」と神様に訴えます。しかし、それで事態が好転するはずはありません。まさに絶望の淵《ふち》に陥っていた山椒魚の棲む岩屋に、ある時、一匹の蛙《かえる》が紛れ込んできます。

悲歎《ひたん》にくれているものを、いつまでもその状態に置いとくのは、よしわるしである。山椒魚はよくない性質を帯びて来たらしかった。そして或る日のこと、岩屋の窓

からまぎれこんだ一ぴきの蛙を外に出ることができないようにした。（中略）
山椒魚は相手の動物を、自分と同じ状態に置くことのできるのが痛快であったのだ。
「一生涯ここに閉じ込めてやる！」

自分が不幸だと、人も不幸にしたくなる。これもまた人間の悲しい性質です。実際、岩屋の狭い空間の中で山椒魚と蛙は虚勢を張り合い、また罵《ののし》り合いながら同じ時間を過ごします。お互いに自分の歎息《たんそく》が相手に聞こえないよう注意しながら二年もの歳月が経過していきました。

そして、ついに蛙は「ああああ」という小さな歎息を漏らしてしまいます。山椒魚はこの歎息を聞き逃しませんでした。


「お前は、さっき大きな息をしたろう？」

相手は自分を鞭撻《べんたつ》して答えた。「それがどうした？」

「そんな返辞をするな。もう、そこから降りて来てもよろしい。」

「空腹で動けない。」

「それでは、もう駄目なようか？」

相手は答えた。

「もう駄目なようだ。」

よほど暫《しばら》くしてから山椒魚はたずねた。

「お前は今どういうことを考えているようなのだろうか？」

相手は極めて遠慮がちに答えた。「今でもべつにお前のことをおこってはいないんだ。」


この『山椒魚』は以上のように締め括《くく》られています。最後に蛙が「自分を閉じ込めた山椒魚のことを怒ってはいない」と答える場面には、実に考えさせられるものがあります。

自他の弱さを受け入れた時、人生は好転する

山椒魚の悪意がなかったら、蛙は一生自由に生きられたはずです。本当ならば憎くて仕方がないはずの山椒魚に「怒ってはいない」と答えたのはなぜでしょうか。

それを考える上で、アメリカの女性精神科医エリザベス・キューブラー・ロスが著書『死ぬ瞬間』で紹介した五段階の「死の受容」プロセスは一つの参考になると思われます。キューブラー・ロスは人間が死にゆく過程でどのような状態を辿《たど》るかを、五つの段階として捉えました。

第一段階は「否認と孤立」、やがて自分に死が訪れる現実を受け入れられず感情的に否認する段階です。第二段階は「怒り」。「どうして自分がこんな目に遭うのか」という感情が湧き、周囲にも怒りをぶつけます。第三段階は「取り引き」。「生き方を改めますから死を回避させてほしい」ということを神仏に祈り、取り引きをしようとします。

第四段階は「抑鬱《よくうつ》」。どうしても死は避けられないという現実を突きつけられ、悲

嘆と絶望から鬱状態になります。第五段階は「受容」。それまで拒絶していた人間の死は自然なことだと静かに受け入れていく段階です。

この五段階は死に向かうプロセスのみならず、人生のいろいろな場面にも応用できます。山椒魚や蛙の姿を照らし合わせてみると、それぞれの段階に合致していることにお気づきでしょう。山椒魚は気づかないうちに岩場から抜け出せなくなっている現実に愕然《がくぜん》とし、やがて怒りの感情が込み上げ、天を恨《うら》んで孤独と絶望の淵を彷徨《さまよ》います。

しかし、最後の最後には与えられた現実を静かに受け入れるようになります。蛙もまた同様です。変えられない現実を受け入れた時に山椒魚への怨《うら》みは消えていたのです。

私たち人間は誰もが弱さを併《あわ》せ持っている存在で、自分や他人の欠点をなかなか認められず、自他を責めながら生きています。特にいまのコロナ禍《か》のような非常時にあっては、多くの人がそのことに対してより敏感になっています。

しかし、自他の欠点や過去に犯した罪を責めてばかりいても、状況はなかなか好転していきません。むしろ対立の溝は深まるばかりです。大切なのは、厳しい現実に振り回されている自分を客観的に見つめ、「悪い感情が湧き起こるのは人間として当たり前。これも私自身、相手の中にある弱さなんだな」と気づき続けることです。

すぐには受け入れ許すことは難しいとしても、目を背《そむ》けず弱さに気づき続ける習慣を身につけていけば心は前向きになり、葛藤《かっとう》はいずれ受容できる段階へと至ります。それは心の癒やしや人間的な成長にも繋がっていくことでしょう。

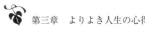

立派な人生とは最後まで生き抜くこと

この『山椒魚』はもう一つ、大切なメッセージを私たちに与えてくれています。いつの間にか体が大きくなって岩屋から出られなくなった山椒魚の姿は、頭の中で自己中心的な思考が膨らみ、思い込みに囚《とら》われて正しく物事を考えることができなくなった私たちの姿と同じだということです。

少し視点を変えるだけで、豊かな恵みが目の前に広がっているのに、頭の働きに縛られて世界を閉ざし、せっかくの恵みに気づかないこともあります。考えごとをしていれば、いくら目の前に美しい花が咲いていても気づかず、大切な家族との会話も耳に入ってこないというのはその一例です。

また、「自分は正しい」という一方的な正義感は人を傷つけ、時に死に追い込んでしまいます。

頭の働きは生きていく上で欠かせないものですが、膨らんだ思い込みや妄想は人生の足枷《あしかせ》になってしまう一面があると知るべきでしょう。これも人間誰もが持つ弱さです。そういう弱さをも認めて、受け入れながら歩んでいくのが人生というものなのかもしれません。

私が親しくしている足利大学理事長の牛山泉先生からいただいたお手紙に、作家の曽野綾子《そのあやこ》さんのことが書かれてありました。曽野さんは若い頃、ある人に「あなたは立派な小説を書く必要はない。一年かかる小説なら一年をかけて最後まで書き上げたらそれでいい」と言われ、その言葉が心の支えになったといいます。

牛山先生は年齢を重ねて軽い脳梗塞《こうそく》などいくつかの病気を経験されましたが、曽野さんの言葉を踏まえて「立派な人生とはとにかく生き抜くことである」と綴《つづ》られていました。

人生の苦悩を受け入れていけば、人間は最終的にそういう境地に至るのではないか。そう感慨深くこの手紙を読み終えたものでした。

第四章＊心をひらく

人間を愛し得る人、
愛せずにはいられない人、
それでいて自分の懐に
入ろうとするものを、
手をひろげて抱き締める事の
できない人、――これが先生であった。

*……………夏目漱石『こころ』

夏目漱石の作品の魅力

二〇一四年は『こころ』が『朝日新聞』で発表されてちょうど百年の節目だというので、同紙では四月から再び連載を始めました。

『こころ』は漱石の作品の中でも読みやすい小説ですが、若い人の間では、あまり意味が分からないし、読んでも面白くないという声が多く聞かれます。ところが、ある程度の年齢になって再び読み返してみると「ここにはこういう意味が込められていたのか」「前読んだ時は注目もしなかった言葉が、こんなにも心に響くものなのか」と感じることがあるものです。『こころ』に限らず、漱石の小説の大きな魅力は、そういうところにあるのかもしれません。

『こころ』をご存じない方のために、最初にそのあらすじをごくかいつまんで述べておきましょう。

話の舞台は明治期の東京です。主人公の「私」は夏に鎌倉に出かけた時に、後に「先生」と呼ぶことになる一人の男性と出会います。先生のそっけない雰囲気に惹《ひ》かれた「私」は、それから東京にある先生の自宅にひんぱんに出入りするようになります。先生は奥さんと二人暮らし。何で生計を立てているかも分からず、人付き合いもあまりありません。謎めいた先生に興味が深まるばかりの「私」は、その過去を知りたくなり先生に質問するものの、来るべき時が来たらお話ししますという返事が返ってくるだけでした。

「私」は大学を卒業し、実家に帰省します。父親は大病を患っていましたが、やがて重篤《じゅうとく》となり、兄とともにその死を看取《みと》ろうという時に、「私」のもとに先生から長文の手紙が届きます。「私」の目に飛び込んできた一文は、

「この手紙があなたの手に落ちる頃には、私はもうこの世にはいないでしょう」

という衝撃的な内容でした。そこには先生の生い立ちから今日に至るまでのことが詳細に記されていたのです。

先生は幼少期に両親を失い、遺産を管理していた叔父にそれを騙し取られるなど様々な体験をしていました。叔父の裏切りは先生にとって大変な試練でしたが、先生はその後、別のある出来事をきっかけに終生、さらに苦しみ続けることになります。

先生が学生時代の頃、下宿先に家主の娘がいました。先生はいつしか恋心を寄せるようになります。そんな時、友人のKが先生にある相談をもちかけます。Kはその娘が好きだというのです。もちろん、Kは先生の心中など知る由もありません。先生は

「あなたには彼女は合わない」などと理由を付けてはKと娘を引き離そうと工作し、自分はKに内緒で娘の母親に結婚の了解を取り付けてしまうのです。

それを知ったKは自殺。先生はこの娘と結婚した後も自責の念に苛《さいな》まれ続けます。そして奥さん（娘）にも話せないでいたこの秘密を「私」にだけ手紙で打ち明け、明治天皇の崩御《ほうぎょ》、乃木希典《のぎまれすけ》の殉死《じゅんし》と時を同じくして自らも命を絶ってしまいます。

自分の醜さに気づいた時、状況は大きく転じる

ごく簡単にあらすじを辿《たど》りましたが、まずは原作をしっかり読んでいただきたいと思います。その前提の上で解説させていただきますと、特に若い人たちは「なぜ、先生は自殺を決意するまで自分を追い込んでしまったのか」という疑問を抱くようです。というのも、私たちの多くは忘れてしまいたいほどの出来事に遭遇したとしても、自分と折り合いをつけ、何となく自分を誤魔化《ごまか》しながら生きていく術《すべ》を知っているからです。

私たちはふとした瞬間に嫉妬心《しっとしん》や怒り、怨《うら》みなどの感情が反射的に湧き上がってく

ることがあります。しかし、それを直視し続けることはまずありません。「人間とは所詮《しょせん》そんなものだ」「お互い様だから」と誤魔化してしまうために、自らの業《ごう》の深さになかなか気づかないのです。ところが、先生はそうではありませんでした。先生は徹底的に自分を見つめ続けたのです。そこには、いつ罪を犯してもおかしくない心の傾向、つまり心の深い闇がありました。

叔父に欺《あざむ》かれた当時の私は、他《ひと》の頼みにならない事をつくづくと感じたには相違ありませんが、他を悪く取るだけあって、自分はまだ確かな気がしていました。世間はどうあろうともこの己《おれ》は立派な人間だという信念がどこかにあったのです。それがKのために美事に破壊されてしまって、自分もあの叔父と同じ人間だと意識した時、私は急にふらふらしました。他に愛想を尽かした私は、自分にも愛想を尽かして動けなくなったのです。

これは、叔父に財産を奪われた後、「世間はどうあろうともこの己は立派な人間だ」と思っていた先生が、Kの死後、その信念が崩壊していく自分を見つめる場面です。叔父と同じような醜い部分が自分にもあると思った時、「愛想を尽かして動けなくなる」ほどの幻滅感に駆られるのです。

この先生のように、誤魔化すことなく自分の真実の姿を見つめるのは辛《つら》いものですが、実はとても大切です。自分はどうしようもない人間だ、底知れぬ暗闇を持っている人間なんだ、ととことんまで追い詰められながらも、醜い自分を素直に受け入れた時、そこに人生の逆転が起こるといわれています。それまで暗闇に思えていたものが、ある時、光に変わるのです。

これはマザー・テレサのような人でも一緒です。マザーもまた告解《こっかい》（その権限を与えられた神父を前に、罪を告白する場）において「自分ほどの罪人はいません」と罪を懺悔《ざんげ》し続けたといわれています。自らの内にある醜さを受け入れたからこそ、マザーは優しく素晴らしい人物になったのだと思います。

カトリックに限らず、偉大な聖人たちは自分の罪深さを誤魔化すことなく認め、そういう自分でも神様の深い愛の中でいま、許されて生かされている、という自覚に至ります。それは同時に同じ罪人として、他人の罪をも許す力へと変わっていくのです。

他人の悪口を言うのは、同じ要素が自分にあるから

「自分をきちんと見つめること」が大事だと言いました。しかし、自分をとことん責め続けることと、自分をきちんと見つめることとは全《まった》く違います。

罪悪感を持って自分を追い詰めるのではなく、大切なのは、「ああ、自分にはこういう暗い部分もあるのか」と認めるだけでいいのです。その闇が何を教えているかを静かに感じ取ることです。「自分は駄目だ」「人に迷惑ばかりかけて」と思うのは日本人の美徳のようにも捉《とら》えられていますが、それは安易な逃げ道にすぎません。

私たちが誰かの悪口を言ったり、欠点や過ちを責める時、よくよく内省すると、相手と同じ部分を自分も持っていることに気づきます。相手の悪口を言うのは、大抵の場合、自分に同じ要素があるからです。自分の闇を見つめるのが恐ろしいものだから、他人に矛《ほこ》先を向けて誤魔化そうとするのです。それが分かれば、他人への悪口は自然に収まります。「自分を見つめる」意味は、そこにあるのです。

そのことに関連して大切なのは、この小説の登場人物が背負う諸々の闇は、小説の

中の話ではなく、まさに自分自身の闇である、という点です。
漱石は「これでもか」と思うほど、心の闇の部分を私たちに見せてくれます。その心象描写は実に巧みで、読者は自分自身の心の内と照らし合わせながら読み進めることができます。その暗闇の中から必死に抜け出そうともがく登場人物の生きざまをとおして、人間はどういう場合にエネルギーを奪われるのか、闇を光に変えるにはどうすればよかったのか、を自分なりに考えてみるといいでしょう。何気ない一文に隠された生きるヒントをぜひ感じ取っていただきたいものです。

人間は誰かを愛せずにはいられない存在

この小説には、作品のキーワードと言うべき次の言葉があります。

人間を愛し得る人、愛せずにはいられない人、それでいて自分の懐に入ろうとするものを、手をひろげて抱き締める事のできない人、――これが先生であった。

これは先生と出会って間もない頃の「私」の言葉です。人間の本質、それは誰かを愛さずにはいられないことです。どのような悪い人でも、自分に赤ちゃんが誕生したら思わず抱き締めてニッコリと微笑《ほほえ》むことでしょう。それは神様がお互いを愛するために人間を創造された何よりの証《あかし》です。

人間は誰かと愛で繋《つな》がっていないと生きていけない存在です。心を開き、相手をあるがままに受け入れていく時、そこに愛の繋がりが広がっていきます。しかし、この先生の場合は、自分は誰にも受け入れられないのではないかという恐怖心や懐疑《かいぎ》心から、懐を開くことも、手を広げて相手を抱き締めてあげることもできませんでした。そういう中で先生が必死に求めたのが愛の繋がりだったのです。

それを端的に物語るのが、先生が「私」に宛てて送った遺書の一部です。

その内妻《うち》の母が病気になりました。……私は力の及ぶかぎり懇切に看護をしてやりました。これは病人自身のためでもありますし、また愛する妻のためでもありましたが、もっと大きな意味からいうと、ついに人間のためでした。私はそれまでにも何かしたくて堪《たま》らなかったのだけれども、何もする事がないのでやむをえず懐《ふところ》手《で》をしていたに違いありません。世間と切り離された私が、始めて自分から手を出して、幾分でも善い事をしたという自覚を得たのはこの時でした。

これは恐らく漱石自身の体験に基づくものでしょう。先生は身近な人に心を開き、その人のために何かをする時、自他を繋ぐ大きな絆《きずな》が築かれていくことを感じ、そこに一筋の光明を見出したに違いありません。光と闇とを併せ持つ私たち人間が、小さな自我から解かれ、他との繋がりを自覚し始めた時、そこには必ず幸せが伴うものなのです。

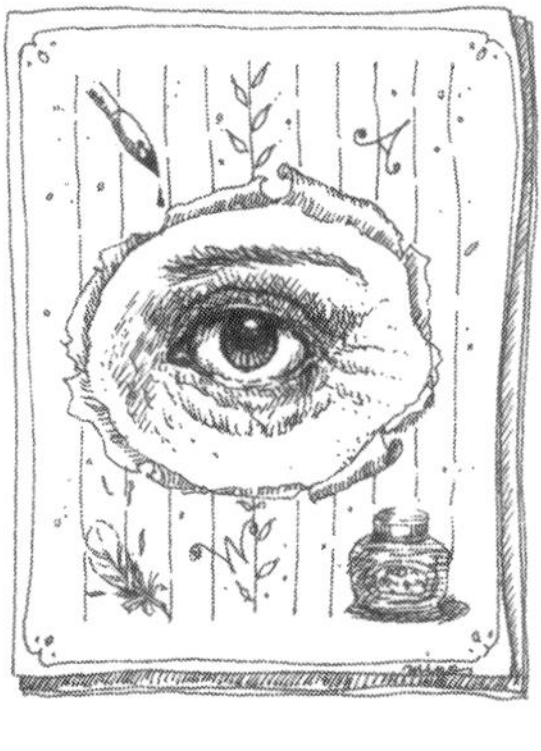

私は朗らかな喜びでことことと笑い続けた。頭が拭われたように澄んで来た。微笑がいつまでもとまらなかった。

＊……………川端康成『伊豆の踊子』

外のものにすがるほど心の空洞は大きくなる

作家のすべては処女作にあるといわれます。

その意味では、川端康成の初期の代表作『伊豆の踊子』は、川端のすべてが込められているといわれるほど重要な位置を占める作品といえます。短文でありながら何時間講義しても語り尽くせない深みがあり、川端のノーベル文学賞はこの一篇で決まったとの評価もあります。

道がつづら折りになって、いよいよ天城峠《あまぎ》に近づいたと思う頃、雨脚《あまあし》が杉の密林を白く染めながら、すさまじい早さで麓《ふもと》から私を追って来た。

この冒頭の一文に象徴されるように、『伊豆の踊子』は、一見淡々と綴《つづ》られた旅の物語のようでありながら、常に自然と人間の気持ちの移り変わりが対応して描写されています。

伊豆への一人旅で知り合った踊子を追って、天城峠へ向かう道を上る二十歳の〝私〟。その道は、下から見上げるとあたかも天に通じているように見えていたことでしょう。

そこへ突如降り始めた雨によって、道の両側を覆うこげ茶色の杉の密林が、麓からどんどん白く染まっていく。踊子のいる旅芸人一座に早く追いつきたい青年の心が、印象的な自然描写を通じて表現されています。

青年は一高の学生という高いステータスにありながら、自分の性質が〝孤児根性〟で歪《ゆが》んでいると厳しい反省を重ね、息苦しい憂鬱《ゆううつ》に耐え切れなくなって伊豆の旅に出てきたのでした。

世の中には、大きな成功を収め、お金、地位、名誉とすべてが満たされても、心の内で虚《むな》しさを感じてしまう人が少なくありません。川端はこの作品をとおして、そういう外のものでは人間の心は決して満たされないこと。外のものにすがればすがるほど、心の空洞が大きくなっていくことを示唆しています。

社会的に恵まれたポジションにありながら、「自分は駄目だ、駄目だ」と自己否定を続けてきた青年の心が、何によって満たされるのか。それがこの『伊豆の踊子』のテーマでもあるのです。

心の転換を活写した近代文学史上屈指の名文

青年が辛《つら》い日常を離れ、旅先の伊豆で出会ったのが、修善寺から天城峠を越え、下田へ向かう旅芸人一座の踊子でした。

踊子は十七くらいに見えた。私には分らない古風の不思議な形に大きく髪を結《ゆ》っていた。それが卵形の凜々《りり》しい顔を非常に小さく見せながらも、美しく調和していた。

踊子に淡い想いを寄せた青年は一座に合流して旅を続けますが、行く先々で「物乞《ご》い旅芸人村に入るべからず」という立て札が掲げられているのが目に入ります。当時の旅芸人というのは、社会から見下げられ、拒絶された身分の人々でした。

しかも、一座の中には流産と早産で二度も子供を死なせた女性もいる。そうした辛い状況にありながらも、踊子は野の花のような素朴で純真な人柄を保っていたのです。

青年は、一座が湯ヶ島でお座敷に呼ばれた時、純粋無垢《むく》な踊子が汚されてしまうのではないかと気を揉《も》みます。けれども踊子はそんな懸念を吹き飛ばすように、翌朝には川向こうの共同湯から主人公の姿を認め、無邪気にはしゃいでいます。

仄《ほの》暗い湯殿の奥から、突然裸の女が走り出して来たかと思うと、脱衣場の突鼻《とっぱな》に川岸へ飛び下りそうな恰好《かっこう》で立ち、両手を一ぱいに伸して何か叫んでいる。手拭《ぬぐ》もない真裸だ。それが踊子だった。若桐のように足のよく伸びた白い裸身を眺めて、私は心に清水を感じ、ほうっと深い息を吐いてから、ことこと笑った。子供なんだ。私たちを見つけた喜びで真裸のまま日の光の中に飛び出し、爪先で背一ぱいに伸び上るほどに子供なんだ。私は朗らかな喜びでことことと笑い続けた。頭が拭われたように澄んで来た。微笑がいつまでもとまらなかった。

このくだりは、日本の近代文学史上最も美しい名文とされています。自己否定でがんじ搦《がら》めになっていた主人公の心が、踊子の内から溢《あふ》れ出るような無垢な明るさに触れ、大きな転換を起こす重要な場面です。

作者である川端康成を投影するこの主人公は、幼い頃から大切な身内を次々と失ったことから人間不信に陥り、他者に心を閉ざして生きてきました。しかし、踊子の飾ることを知らない開けっぴろげな態度によって、がんじ搦めになっていた心が徐々にほどけていくのです。

人の心が真に満たされる時

青年の心の変化は、他の場面にも窺《うかが》えます。

「それは、抜いて金歯を入れさえすればなんでもないわ。」（中略）私の噂らしい。千代子が私の歯並びの悪いことを言ったので、踊子が金歯を持ち出したのだろう。顔の話らしいが、それが苦にもならないし、聞耳《ききみみ》を立てる気にもならないほどに、私は親しい気持になっているのだった。

暫《しばら》く低い声が続いてから踊子の言うのが聞こえた。

「いい人ね。」

「それはそう、いい人らしい。」

「ほんとにいい人ね。いい人はいいね。」

この物言いは単純で明けっ放しな響きを持っていた。感情の傾きをぽいと幼く投げ出して見せた声だった。私自身にも自分をいい人だと素直に感じることが出来た。晴れ晴れと眼を上げて明るい山々を眺めた。（中略）二十歳の私は自分の性質が孤児根性で歪んでいると厳しい反省を重ね、その息苦しい憂鬱に堪え切れないで伊豆の旅に出てきているのだった。だから、世間尋常《じんじょう》の意味で自分がいい人に見えることは、言いようなく有難いのだった。

孤児根性でがんじ搦めになっていた青年は、それまで自分のことをいい人だと思ったことなど一度もありませんでした。けれども踊子の屈託ない噂話は些《いささ》かも苦になりませんでした。心の穴を埋められ、自分のことをいい人だと素直に受け止めることができたのです。

「いい人」というと、他から抜きん出て立派な人を指すものと思いがちです。けれども、他人など意識することもなく、ありのままの自分でいいと思える時にこそ、人の心は真に満たされていくものなのです。

青年は一座から誘われて出立の日を一日ずらし、ともに湯ヶ野を発って下田へ向かいました。

下田の港は、伊豆相模《さがみ》の温泉場なぞを流して歩く旅芸人が、旅の空での故郷として懐《なつか》しがるような空気の漂《ただよ》った町なのである。

旅先で度々目に入った「物乞い旅芸人村に入るべからず」の立て札のように、自分が社会から拒絶されているように感じ、また自身も社会を拒絶しながら生きてきた青年。「故郷として懐しがるような空気の漂った」という表現には、踊子との出会いによって自分を受け入れ、肯定できるようになった青年の心の変化を読み取ることもできます。

苦しみを乗り越える力を与えられる人に

旅費の尽きた青年は、下田へ着いた翌朝に旅芸人一座と別れ、東京へ戻らなければならなくなりました。これから船に乗り込む場面で川端は、青年と踊子の別ればかりでなく、同じ船で上京する老婆の付き添いを頼まれる様子も綴っています。

老婆は息子夫婦を病気で失い、これから孫たちを連れて故郷の水戸へ帰るところでした。青年は、心配して見送りに来た鉱夫から、「お婆さん、この人がいいや」と老婆を託されたのです。

青年が選ばれたのは、踊子との出会いで心の転換を遂げ、人に安心感を与える人間に変わっていたからでしょう。自己否定を続け、生きる勇気すら失いかけていた青年は、踊子から無条件の愛を注がれて立ち直りました。そしてそれまで苦しんだ分、今度は他者に手を差し伸べる人間へと成長を遂げていたのです。

青年は、船の上で踊子との別れを悲しみ、涙を流しているところを、少年に見られます。

「何か御不幸でもおありになったのですか。」

「いいえ、今人に別れて来たんです。」

私は非常に素直に言った。泣いているのを見られても平気だった。私は何も考えていなかった。ただ清々《すがすが》しい満足の中に静かに眠っているようだった。（中略）

肌が寒く腹が空《す》いた。少年が竹の皮包を開いてくれた。私はそれが人の物であることを忘れたかのように海苔巻《のりまき》のすしなぞを食った。そして少年の学生マントの中にもぐり込んだ。私はどんなに親切にされても、それを大変自然に受け入れられるような美しい空虚な気持だった。明日の朝早く婆さんを上野駅へ連れて行って水戸まで切符を買ってやるのも、至極《しごく》あたりまえのことだと思っていた。何もかもが一つに融《と》け合って感じられた。

それまで他人に涙など見せたことのなかった青年は、自分の本音を素直に吐き出したり、他人の親切を自然に受け入れられるような人間に変わっていたのでした。

人生で遭遇することは必ずしもよいことばかりではありません。けれども、辛い逆境を乗り越えることができれば、一回り大きな人間に成長することができるものです。

そんな時、この物語の踊子のように、傍でさりげなく寄り添ってくれる存在があると、苦しみを乗り越える大きな力になります。ことさらに励ますでも、慰めるでもなく、さりげなく寄り添う。そんな踊子のような姿勢で他人に向き合うことによって、自らの力で苦しみを乗り越える力を与えてあげたいものです。

心をひらいて、与えよう
心をひらいて、分かちあおう
心をひらいて、受けとろう

＊…………ドロシー・ロー・ノルト「心をひらこう」

深い意味を持つドロシーおばさんの詩

アメリカの子育てコンサルタントとして活躍したドロシー・ロー・ノルト（一九二四～二〇〇五年）という人がいました。「ドロシーおばさん」の愛称で親しまれ、著書『子どもが育つ魔法の言葉』は世界的なベストセラーとなりました。彼女の四十年間にわたる家庭教育に関する講演活動は多くの人たちに影響を与えています。日本では皇太子様が記者会見に臨まれた折、幼い愛子様の教育法に絡めて、その詩を読まれたことでも広く知られるようになりました。
ここで紹介するのは、ドロシーおばさんの「心をひらこう」という詩です。

心をひらいて、与えよう
心をひらいて、分かちあおう
心をひらいて、受けとろう
心をひらいて、気遣おう
心をひらいて、素直になろう
心をひらいて、感謝しよう
心をひらいて、うなずこう
心をひらいて、寄りそおう
心をひらいて、わかりあおう
心をひらいて、認めよう
心をひらいて、元気になろう
心をひらいて、勇気を出そう

心をひらいて、共感しよう
心をひらいて、賢くなろう
心をひらいて、ほっとしよう
心をひらいて、愛そう
見て
聞いて
匂《にお》いをかいで
味わって
世界と触れあおう
手をつなごう
あなたの隣の人と
目をひらいて
命をつかもう
そうすれば
あなたは花開く

石井千春／訳

この詩を声に出して繰り返し読んでいると、いつの間にか心が明るくなり、元気が湧いてくるのを感じることでしょう。

私も最初にこの詩に触れた時、素直なとてもいい詩だと思いました。しかし、言葉はシンプルでも、一つひとつの言葉に思いを巡らせると、深い意味を持って私の前に立ち現れてくるのです。少し分かったつもりになっていると、もっと深いものが言葉の奥から溢《あふ》れてきます。

自分のこれまでの体験や生き方、身近な人たちのことを思い浮かべながらこの詩をじっくり味わうことで、より心が潤《うるお》っていく感覚を得ることができると思います。

人はなぜ心を閉じてしまうのか

この詩が伝えているのは、心をひらくことの喜びです。心をひらいて日々の出来事に向き合えば、どれだけ楽に、明るく生きられることでしょう。しかし、頭では分かっていても、なかなか心をひらくことができないのが人間の弱さでもあるのです。

特に近年は個人主義が浸透し、「自分や自分の家族さえ楽しく幸せに生きられたらそれでいい」と考える人たちが増えてきました。街角や電車の中では老若男女を問わず皆、下を向いてスマートフォンの自分の世界に浸《ひた》っています。親しい人には心をひらくけれども、それ以外の人たちは一切心を閉じてしまう。そういう悲しい風潮が一層広まっているように思えてなりません。

私たちが心を閉じてしまう大きな理由は、心をひらけば何が飛び込んでくるか分からない、自分の弱点を知られてしまうかもしれないという恐怖心が伴うからです。

しかし、人と人との絆というものは、自分の弱さをさらけ出して心をオープンにした時にこそ生まれます。心を閉じたままでいては人との繋《つな》がりは生まれず、人生の本当の喜びを味わうこともできません。


私が心をひらくことを強く意識するようになったのは、若い頃の臨死体験が一つのきっかけでした。手の指が一本一本バラバラのように見えても手のひらで結ばれているのと同じように、人間は皆、深いところで繋がっている、お互いに影響し合いながら調和を持って生きているということを強く確信したのです。その気づきが後に、国際コミュニオン学会の活動へと発展していきました。

そこでは自分への気づきを深めると同時に、周りの人を理解し、長所も不都合もあるがままに受け入れながら、互いに助け合って生きることを学びます。その体験は一人ひとりにとって人間として生きる意味に目覚めるきっかけともなっていきました。

それを思えば、心を閉ざしたまませっかくの人生を終えてしまうのは、実に残念でもったいないことなのです。

自分という枠に閉じこもりがちな人々に求められているのは、自分の心にある恐怖心に立ち向かっていくだけの勇気です。その壁を乗り越えて心をひらき、人と繋がる喜びを味わってこそ、真の意味で人間として成長することができるのです。

「心をひらく」と言っても、心の中にある思いを何でもぶちまけたらいい、という意味ではもちろんありません。本音の発露《はつろ》は時に相手や自分の心を深く傷つけてしまうことになります。「心をひらく」とは、自分の中にある弱さ、相手の中にある弱さをお互いに認め、許し合いながら、ともに幸せになっていこうとする姿勢に他なりません。

神様は人間一人ひとりの弱さを知りながらも、そのすべてを受け入れて愛してくださっています。神様の前で弱さを隠そう、絶対にいい人でいようと思っても、すべてをお見通しで、私たちのとらわれを大きく超えたところで無限の愛を注ぎ続けてくださっているのです。そこにあるのは「どんな時も神様から愛されている」という絶対の安心感です。

そういう神様に少しずつでも近づいていくことが私たち一人ひとりに与えられた役割でしょうし、お互いに認め合い、許し合い、愛し合える人間関係を築くことができたら、こんなに幸せな人生はありません。

自分から両手をひらいて差し出してみる

この詩を読みながら、私は自分が感じとった世界を次のような言葉で表現してみました。それをお伝えしましょう。

両手をひらいてみましょう。その両手の上に何かが置かれました。ずしりと重く手応えがあります。とたんに心が反応します。

「これを受けとったら、重すぎるのではないか」「これを受けとったら、縛られていくのではないか」「これを受けとったら、支配されて自分がなくなってしまうのではないか」「これを受けとったら、お返しをしなければならないのではないだろうか」「お返しをしなかったら、何と思われるだろうか」「よいと思ってお返しをしても、気に入られなかったら、私は嫌な人と決めつけられるのでは」……。

受けとるということは、重く果てしない心配を呼び起こします。受けとるとは、気楽な嬉しいことばかりではありません。恐れが伴います。

この恐れを乗り越えるには、まず自分から進んで両手をひらいて差し出してみることです。

空の手を差し出すことは怖いことです。自分が裸になるような気がするのです。手で握りしめているものを手放さなければなりません。支えを失うことです。支えがなくなったら不安感が体に押し寄せてきます。でも、思い切って空の手を差し出してみます。まず、あなたから進んで空の手を差し出すのです。

そして、その手に乗せられたものを心を決めて受けとるのです。それは、あなたの意図を超えるものかもしれません。予想外のものかもしれません。しかし、空の手を広げ、手のひらに乗せてもらうものを受け入れようと、心をはっきり決めた時、あなたの手のひらのものは、あなたが働く力となっていきます。

あなたは、それをしっかりと受けとめ、自分のものとして改めて主体的に選びとります。その瞬間から、あなたの手のひらに置かれたものは、あなたを助ける力になっていきます。あなたは、両手でしっかりとあなたに与えられる大切なものを受けとめるのです。そして、空の手に贈られた賜物《たまわりもの》を生かし始めます。

空の手に受けとったものは、あなた自身を生かし始めます。次第に心から恐れは消え、手のひらで受けとめたものは、体の中の力となってあなたを安定させてくれます。心がゆったりとしてきます。心が大らかになっていきます。空の手を差し出し、手のひらに置かれた賜物を受けとめながら、あなたの心に黒雲のように湧き上がっていた不安や恐れは霧散《むさん》していきます。

気がつくと手のひらは、温かく再び空になっています。あなたの心は、知らないうちに、明るく生きる喜びに満たされています。未来が明るく輝いています。何が起ころうとも大丈夫という力強い安定感が、体の底にしっかりと基礎を固めています。何も握らない両手は、また次のチャンスに贈られるものを受けとるための準備ができています。

両手はひらいています。いま、あなたは心をひらいて受けとめることができるのです。どんな出来事をも、どんな運命をも主体的に明確な洞察をもって、はっきりした選択によって、あなたは心をひらいて受けとめます。

心をひらいて受けとめたあなたは、自分自身を受けとめています。空の両手をひらいて、心をひらいて、自分の弱さを受け入れたあなたは、他の人からも受け入れられています。空の両手をひらいて、他の人の痛みを受け入れようとするあなたは、他の人をも受けとめているのです。

恐れは消え、自分自身と仲良しになり、他の人とも深い絆で結ばれています。いま、あなたは心をひらいて全世界を受けとめているのです。また、全世界があなたを受けとめてくれています。あなたは豊かです。心穏やかです。力に満ちています。あなたの心はひらかれています。ひらかれたあなたの心は、あなた自身の成長のため、他の人の成長のため、大宇宙からの贈り物を、受けとることができるのです。あなたの日々は、祝福に満ちています。あなたの未来は明るく輝いています。

どんなときも時間を生かすための友を求めなさい。

＊…………カリール・ジブラン『預言者の言葉』

本当の友情とはどのようなものか

私たちの毎日は様々な関係性によって成り立っています。まずは自分自身との関係、次に他の人との関係、さらにいえば大自然や人間を超える存在との関係という、大きく三つの関係性の中で毎日を生きています。

最も身近な家族にはじまって職場や学校、サークルの仲間、隣近所の人たちなどいろいろな出会いの中で、いかにいい人間関係を築けるか。そのことによって、その人の幸福度が決まると言っても決して過言ではありません。

レバノン生まれの詩人カリール・ジブラン（一八八三〜一九三一）が著した『預言者のことば』は二十か国語以上に訳されたベストセラーですが、その中に「友情について」という一節があります。本当の友とはどういうものなのか、友にはどのように接していったらよいのか、短い文章の中にその秘訣が凝縮されています。

ひと言で友といっても学生時代の友人や職場の同期だけではありません。年齢や性別、国籍を超えてお互いに心の深い部分で通じ合う人がいれば、まさに友人です。その人をイメージすることでジブランの言葉がより深く心に沁《し》み入ってくることでしょう。

「友情について」を順番に読んでいくことにします。

友とはあなたが求めているものへの答え。／友とは畑であり、あなたはそこに愛をこめて種をまき、収穫を感謝します。／友とは食卓であり、暖炉でもあります。／友のもとで飢えを癒《いや》し、心の平和を得るのです。

友が考えを語るときには、「それは違う」と言うことを恐れてはいけません。／「そのとおり」もためらわないように。／友が無口なときには、その心の声に耳を傾けてごらんなさい。／そこに友情があれば、言葉を介することなく、／あらゆる思い、あらゆる望み、あらゆる期待が生まれ、／分かち合われるでしょう。／派手な喝采《かっさい》など必要としないよろこびと共に。友と離ればなれになることがあっても、悲嘆に暮れることはありません。／友の一番愛しているところは、／その人がいないときにこそよくわかるものなのですから。／ちょうど登山をしている最中より、／平野から眺めたときにこそ山の姿がよくわかるように。／友情とは魂を深め合うためのものであり、目的などあってはいけません。／愛そのものの神秘を露《あらわ》にすることだけを求めるような愛は、／決して愛などではなく、ただの投げ網。／そこには無益なものばかりがかかるのです。

ジブランの言葉のように、本当の友との間には「こうしたら自分が得をするのではないか」「よく思ってもらえるのではないか」というような打算がなく、自分のありのまま、真実を本音で話すことができます。そして、言葉は交わさずとも、その人の傍《そば》にいるだけで心を推し量ることができます。

友の喜びを我がことのように喜び、一方、考えが間違っていると思えば、ためらわずに忠告してあげることもできます。友に愛や承認を求めることもしません。派手さはなく、静かな喜びで繋《つな》がっていくものなのです。


そういう友との関係は、損得勘定に基づく上辺《うわべ》だけのつきあいや、ランチをしながら息子、娘の学力自慢をし合うママ友、酒場に通って鬱憤《うっぷん》を晴らす飲み友達などとは大きく異なります。

本当の心の繋がりができていれば、そこに利害関係が生じたとしても、人生の中心軸を崩すことなく問題を克服していくことができます。その場限りではない友との関係を、じっくりと時間をかけて深めていくことができたら、その人の人生は素晴らしいものになることでしょう。

ただ一緒にいるだけで心が満たされる

私はこのジブランの言葉に触れる時、思い出す知人がいます。

二人の男性は大学時代からの友人で、共にある大手の商社に同期として入社しました。お互いに励まし合いながら厳しい競争社会を生き抜いてきましたが、一人がイギリス法人の社長に就任してからというもの、なかなか顔を合わせることができなくなりました。それでも日本に帰ってくる度に再会を喜び合い、一人はイギリスでの生活について、一人は日本での生活について親しく話すのでした。

ある年、日本にいた友が五十代前半という若さで亡くなってしまいます。イギリスの友は訃報《ふほう》を知って嘆き悲しみましたが、残念ながら葬儀に参列できませんでした。三年が経って追悼《ついとう》の会が開かれた時、その会のためだけにイギリスから駆けつけました。

「私は葬儀に出られなかったし、死に顔も見ることができませんでした。彼が死んだことにどうしても自分の中で踏ん切りをつけられないまま、三年の月日が流れてしまいました。彼の死をしっかりと受け入れ、自分の中での区切りをつけたいと思って、きょうはイギリスからやってきたのです」

彼はそう述べた後、友の思い出や二人の絆についてしみじみと話し始めました。彼は帰国すると、この友を誘っていつも飲みに出かけたそうです。時にはカウンターに座って一時間でも二時間でも言葉を交わすことなく黙々と酒を飲むということもありました。しかし、ただ一緒にいるというだけで心が充実し安心感に満たされたといいます。

そして、「私は会えなくなって初めて友の偉大さを知り、友を得ることが人生でどれだけ大切かがよく分かりました。彼は自分の死を通して、私にとって自分がかけがえのない友であったことを教えてくれたに違いありません。私には最高のプレゼントでした」と言葉を添えました。

人間は、失ってみて初めてその人や物の本当の価値が分かると言われます。彼もまた「友の一番愛しているところは、その人がいないときにこそよくわかる。ちょうど登山をしている最中より、平野から眺めたときにこそ山の姿がよくわかるように」というジブランの言葉が意味するところを、自分のこととして強く実感したに違いありません。

ジブランは「友情について」の項を、次のような言葉で結んでいます。

友には最高の自分を捧げなさい。／友にはあなたの潮の干満を知らせなさい。／ただ時間をつぶすためだけの友を求めるのなら、いったい友とはなんでしょう？／どんなときも時間を生かすための友を求めなさい。／友とはあなたの求めを満たしてくれるものであり、／空虚を満たすものではありません。／甘美な友情のなかで笑い合い、よろこびを分かち合えますように。／ほんのちょっとした出来事の露《つゆ》のなかに、／心はさわやかな朝を見つけるのですから。

"幸せ発信地"になることの意味

人生において真の友を得ることは尊いことです。しかし、一方でそのことの難しさも私たちはよく知っています。

これもある知人の男性の例ですが、彼はある大手出版社に入社し、編集部で机を並べて仕事をしていた同期の男性と仲良くなりました。二人はとても気が合い、よく飲みにも行き、本当の親友と思えるまでになりました。

ある時、この友人の奥様が亡くなり、彼は葬儀に駆けつけました。そして、そこで初めて息子さんの家庭内暴力によって友人の家族の人間関係が崩壊し、奥様が大変なストレスの中で病気になったことを知るのです。

悲しい現実を目の当たりにした時、「自分たちは長い間、会社をよくしようという共通の目的を持ち、一緒の時間を過ごし、共に戦ってきたのに、彼は私に私生活の苦しみの欠片《かけら》も見せなかった。自分もその苦しみを察することができなかった。これが本当の友情と言えるのだろうか」と痛恨の念に苛《さいな》まれたといいます。

いくら親しい間柄でも、いや親しい間柄だからこそ、自分の恥ずかしい部分は隠そうとするものです。何かにつけて利害関係が伴う組織においてはなおさらでしょう。本心をありのままに打ち明けられる友との関係を築くことの難しさをこの逸話は教えてくれているように思います。

本当の友を得ることは難しいとしても、日々の人間関係の中でよき友人を得ることは幸せの原点です。職場や学校、サークルなどで出会った人たちに対して、多くの人が見過ごしてしまう、その人の素晴らしい部分を認めながら「あなたとこうして一緒に働けることが幸せです」「手伝っていただいて本当に助かりました」など、自分にとってその人が大切な存在であることを折に触れて伝えることはその第一歩です。大切に思われて嫌な感情を抱く人は誰もいませんし、その人が好きになります。

そして、時には自分の深いところにある思いをその相手に話しかけてみてください。相手がそれに呼応し、さらに話題が展開していけば、二人の絆はより深まっていきます。対人関係において「自分はいま本物の自分を出せているな」と思う瞬間を大切にしていくことによって、本当の友情が育《はぐく》まれることもあるでしょう。

相手への思いやりをベースとした、そういう一つひとつの訓練の積み重ねが、よき人間関係に結びついていくのではないかと私は思っています。

もう一つ言えば、よき友を得るには、いつも高い志を持って生きることが大切です。「誰かの幸せのために」「誰かを喜ばせる生き方をしたい」という志を抱いて生きていると、いつの間にかそれに共感する人が集まってきます。

考えてみれば不思議なことですが、私たちの社会は、よきにつけ悪しきにつけ、同じ波長を持つ人たちが集まって集団を形成します。高い波長の人のところには、同じような高い考え方の人が集まり、世の中をよくする方向に動きます。欧米列強による植民地化の危機から立ち上がり近代日本の礎《いしずえ》を築き上げた明治維新の志士は、まさにそのような高い志を持った人たちでした。

自らが〝幸せ発信地〟となり、明るく輝いている人の周りには、いつしかよき仲間が集うようになります。魂を深め合うことができる人間同士の強い絆もそこに生まれてくるはずです。

第五章＊誰かのために

——愛と祈り——

この心臓は鉛でできているが、泣かないではいられないのだよ

＊…………オスカー・ワイルド『幸福の王子』

無償の愛を追い求めたオスカー・ワイルド

今回取り上げるのは、アイルランド出身の作家オスカー・ワイルド（一八五四〜一九〇〇）の代表作の一つ『幸福の王子』です。

ワイルドの生涯は決して幸福とは言えないものでした。その放縦《ほうじゅう》で欲望にまみれたような生活から生み出された作品は、どこか退廃《たいはい》的な雰囲気を漂わせるものも少なくありません。しかし、この『幸福の王子』はそういう作品とはいささか趣《おもむき》を異にしています。そこに描かれているのは、徹底した無私の精神で最後まで愛を貫いた王子の姿です。

人間は誰もが醜《みにく》さと素晴らしさを兼ね備えた存在ですが、ワイルドは自堕落《じだらく》な生活を送りながらも、心の奥底では無私の精神や無償の愛というものを求め続け、人として理想の世界に行き着くことを切に願ったのです。

物語のストーリーを辿《たど》ると、次のようになります。

これはある町に建てられた王子の像の話です。この像は全身が純金の延べ板で包まれ、瞳はサファイヤ、剣の柄《つか》には赤いルビーが光っていました。人々は皆、この像を褒《ほ》めたたえます。市議会議員は「まるで風見鶏のように美しい」とたたえ、不幸で心が挫《くじ》けそうな男性は「この世の中に本当に幸福な者もいるのだな、と思えば悪い気はしない」と呟《つぶや》き、慈善院に養われている子供は「まるで天使様のようだ」と口にするのです。

そこへ一羽の燕《つばめ》がやってきます。燕は暖かいエジプトへ渡る途中、金色の王子像に目が留まり、ここを寝床にしようと考えました。燕が寝ようとした時、頭上から水のしずくが落ちてきました。見ると王子の目は涙で潤み、その涙が黄金の頬を流れ落ちていたのです。

王子は燕に語りかけます。

「私がまだ生きていて人間の心臓を持っていた頃、私は涙がどんなものかということも知らなかった。宮殿に住んでいて、そこに悲しいことなど一つも入ってこなかったのだ。ところが、死んでから人々がこんな高い所に置いてくれたものだから、この町中の醜いこと、悲しいことを一つ残らず見ることができるようになった。この心臓は鉛でできているが、泣かないではいられないのだよ」

そして王子は、町の狭い通りに貧しい縫物屋が住んでいて、その縫物屋は病気の男の子を抱えて食うや食わずの生活をしていることを燕に伝えます。

「燕、燕、小さな燕よ、おまえは私の剣の柄のルビーを抜き取ってあの女の所に持って行ってはくれまいか。私の足は台石にくっついて動くこともできないのだから」

燕はしぶしぶその願いを聞き入れてルビーを届けます。翌日、王子はエジプトに飛び立とうとする燕を呼び止め、屋根裏部屋に住んで、寒さのあまり脚本を書く力もない劇作家の男に片方の目のサファイアを持って行くように頼みます。さらにその翌日、今度はもう一つの目のサファイアを四つ辻にいる小さなマッチ売りの娘に渡すように言うのです。

燕は王子が盲目になるため止めようとしましたが「私の言うとおりにしなさい」と

頑として聞き入れません。両方の目玉を抜き取って盲目になった王子を見た燕は、エジプトに渡るのを諦めてずっと側にいることを誓います。そして目の見えない王子のために、町の人々の様子を伝えます。

話を聞いた王子は、貧しい人たちのために体の純金を一切れずつ剥《は》ぎ取って分け与えるように頼み、燕も一切れ、また一切れと剥ぎ取ったので、王子の像はたちまち灰色の像になってしまうのです。

そして迎えた冬。燕はついに寒さに耐えきれず王子に別れを告げて死んでしまいます。燕が王子の足元に落ちた瞬間、鉛の心臓は真っ二つに裂けます。人々は「幸福の王子がなんてみっともなくなってしまったんだ」と言いながら像を取り壊し、溶鉱炉に入れました。しかし鉛の心臓だけは溶けず、燕の死体と一緒にごみ捨て場に捨てられてしまいました。

ある日、その町にやってきた神様が「この町で一番貴いものを二つ持ってくるように」と天使に言いつけました。天使が割れた鉛の心臓と死んだ燕を持ってくると、神様は言います。「いいものを選びました。この小鳥は、いつまでも私の楽園の庭に囀《さえず》らせよう。幸福の王子は、私の黄金の市に永く私の名をたたえさせよう」と。

他人の幸せを願うところに本当の愛は育まれる

この小説は、私たちの人生における真の幸福とは何かを教えてくれています。

冒頭の部分は、目の前の欲望に振り回されがちな人間の醜い一面が描かれています。人間は心が望むものしか見ないと言われていますが、金の延べ板やサファイア、ルビーに彩られ、物欲も権力欲もすべてをほしいままにする王子を誰もが羨《うらや》み、憧《あこが》れの目で見つめていたのです。

一方、これらの宝石をすべて失ってしまった王子の像を人々はどう見たでしょうか。「みっともない」と言いながら取り壊し、最後には溶鉱炉で溶かしてしまいました。これも人間の持つ偽らざる一面です。

しかし、美しい装飾で彩られたものも、幸せに見える男女の恋愛も、突き詰めれば欲望の裏返しであることが少なくありません。真実の幸福や愛はそのような一時的な喜びや快楽からは決して生まれるものではなく、他人の幸せを心から願うところにこそ芽生え育っていくのです。

燕は、王子の像を覆う金に惹《ひ》かれて、そこを寝床に選びました。これも人間の欲深さの象徴です。ところが、自分を犠牲にしてまで他人の幸せを願う王子の姿に触れた時から燕の中に眠っていた愛の心が少しずつ成長し、最後にはいつまでも王子の傍にいたいと願うようになりました。真実の愛はマイナスに見える物事を大きく変える力があることを、ここから学ぶことができます。

もう一つ教えられるのは、必要以上のものに固執しないことの大切さです。王子は自分が身につけた世俗的な飾り物を一つひとつ手放すことで、本当の自分に返っていきました。王子がそこで掴《つか》んだのは、他人の幸不幸を自分の幸不幸のように感じ取る深い愛の心でした。その境地に至った時、王子はどんなに身なりはみすぼらしくても心から溢《あふ》れる幸福感に満たされたに違いありません。そしてその幸福感はこの世の中の価値基準や評価とは全《まった》く別のものであり、町の人たちは誰一人としてそのことに気づくことがなかったのです。

もっとも、現代に生きる私たちが自分の財産をすべて分け与えて誰かを幸せにすることはなかなかできることではありませんし、することでもないと思います。この社会で誰かの人生によき影響を与える人たちは皆、そういう愛の心を根底に抱きながらも、自分に与えられた環境を存分に味わい、その喜びが外に溢れて、人の心を感化しているものです。

まずは自分には神様から与えられた素晴らしい宝物があることをしっかりと自覚して、日々の生活の中でそれを育みながら他の人を喜ばせ、同時に自分も喜ぶことのできる生き方こそが大切なのではないでしょうか。

必要とされていない人は一人もいない

私たちシスターの生活は実に質素です。最小限必要なものは修道院から支給されますが、私有物は一つもない、まさに無一物の生活です。だからといって何かが欲しいと思うこともなく、むしろ物がない分、何物にも縛られない自由を味わっています。

以前、私の出した本がとてもよく売れた時がありました。ある方が「あんなに本が売れていいですね」とおっしゃるので「ああ、そんなに売れているのですか」と聞いたところ、「印税が入るからすぐに分かるでしょう」と不思議そうな顔をされました。しかし、私たちの場合、印税はすべて公のものとして管理されますから、自分では全く分からないのです。

「私たちはお金に関係のない世界に生きていますから、本が売れているなどいままで知りませんでした」。そう答えた時、「ああ、だから本が売れるんですね」と返された言葉がいまでも印象に残っています。無心になって手放せば反対に入ってくる。私たちの社会には、そういう原理が働いているのかもしれません。

最近、断捨離《だんしゃり》が大きなブームとなりました。物をすぐに手放すことができれば、それにこしたことはないのですが、実際、何かを捨てるとなると、いろいろな思い出が甦って、なかなか大変です。「買うのは天国、捨てるのは地獄」とは言い得て妙だと思います。

私は、「誰かに喜んでもらいたい」という思いも、この手放すことによる身軽さから生まれると思っています。物事に執着しているばかりでは、他人を慮《おもんぱか》る余裕など生まれないわけですから。

燕の話も同じです。燕は王子からお使いを頼まれて貧しい人たち、困っている人たちを助けに行きます。最初は自分が何をやっているのかに気づきませんでした。しかし、身につけた宝石や金を剥ぎ取らせる王子の姿や、貧しい人たちの喜ぶ姿に接する中で、いつのまにか燕も自己の執着を手放し、王子がなくてはならない存在となっていくのです。

私がシスターとしてこの小説に教えられたことを、最後に述べておきましょう。王子は常に町の高いところから人々の様子を見ていました。貧しさに耐えながら舞踏会で使われる服の刺繍《ししゅう》をする女性の姿、息絶え絶えに生活している劇作家の姿など、生きていた頃は全く分からなかった人間の悲しみを見ては涙を流していました。一方で華やかな世界に生きる人たちや愛を囁《ささや》く恋人たちの姿も見ていました。

王子は広い視野で社会を見渡すことで、世の中はよい面と悪い面の二つがあって、それらがお互いに生かし合いながら成り立っていることを感じたのではないかと思います。その人間社会を慈悲深く見守り、救いの手を差し伸べる王子の姿は、万人に等しく愛を降り注ぐ神やキリストの姿とも重なります。

どのような惨めな環境に生きているとしても一人ひとりは誰もが必要とされる掛け

替えのない存在であり、常に希望と喜びを忘れてはいけない。この『幸福の王子』にはそんなメッセージが込められているようにも思うのです。

心で見なくちゃ、ものごとはよく見えないってことさ。かんじんなことは、目に見えないんだよ

＊…………サン＝テグジュペリ『星の王子さま』

宝石のような言葉が鏤められた名作

子供の頃、よく分からなかった本の内容が、年齢を重ねて改めて読んでみると、よく理解できるようになっていた。そういう経験をお持ちの方も多いのではないでしょうか。それは、その人が様々な経験を積み重ね、人生を深く味わってきたことの証《あかし》で

す。一冊の本が人生の歴史を振り返るチャンスを与えてくれたのです。

サン＝テグジュペリの『星の王子さま』はまさにそういう本を代表する一冊です。子供向けの童話かと思っていたのに、読み返すうちに様々な気づきがあり、やがて人生の行く道を照らしてくれる手放せない一冊になった、というような声を多くの方から耳にしています。

実際、この物語にはいろいろな場面に宝石のような言葉が鏤《ちりば》められていて、読む人の心境や環境によって、それぞれに違った輝きを放ってくれるのです。そして、同時にそれらは生きる上で忘れてはならない大切な人生の知恵でもあります。

作者のサン＝テグジュペリは二十世紀のフランスの作家です。一九〇〇年、名門貴族の子として生まれ、長じて航空会社のパイロットとして活躍する一方、多くの小説をものします。ところが、第二次世界大戦中の一九四四年七月、フランスの飛行中隊長としてコルシカ島の沖合を偵察している最中に、突然姿を消してしまうのです。

『星の王子さま』は、行方不明になる前年、無二の親友であるレオン・ウォルトを励ますために著しました。ウォルトはサン＝テグジュペリよりも二十一歳年上のジャーナリストであり作家です。平和主義者で、しかもユダヤ人だったために戦争中はナチスの弾圧を受け、フランス東部の山にひっそりと隠れ住んでいました。

この小説の冒頭にある「献辞」には「わたしは、この本を、あるおとなの人にささげたが、子どもたちには、すまないと思う。でも、それには、ちゃんとした言いわけがある」と前置きし、「そのおとなの人は、いまフランスに住んでいて、ひもじい思いや、寒い思いをしている人だからである。どうしてもなぐさめなければならない人だからである」などと自ら深い思いを綴《つづ》っています。

あたりまえのバラの花を持ってるきりだった

小説は、砂漠に不時着した飛行機乗りの「ぼく」が、ある小さな星からやってきた王子に出会うところから始まります。王子の故郷の星は家ほどの大きさでした。そこには、朝食を温めるのには便利な小さな活火山があり、美しい一輪の花が咲いていました。王子はこの花の成長を見守って可愛がってあげましたが、我が儘《まま》で自分勝手な花の態度に嫌悪感を抱いたことがきっかけとなって、小さな星を飛び出してしまうのです。

花は、咲いたかと思うとすぐ、じぶんの美しさをはなにかけて、王子さまを苦しめはじめました。それで、王子さまはたいへんこまりました。たとえばある日のこと、花は、そのもっている四つのトゲの話をしながら、王子さまにむかって、こういいました。「爪をひっかけにくるかもしれませんね。トラたちが！」

「ぼくの星に、トラなんかいないよ。それに、トラは、草なんかたべないからね」と王子さまは、あいてをさえぎっていいました。

「あたくし、草じゃありませんのよ」と花は、あまったるい声で答えました。

「あ、ごめんね……」

「あたくし、トラなんか、ちっともこわくないんですけど、風の吹いてくるのが、こわいわ。ついたてを、なんとかしてくださらない？」

〈風の吹いてくるのがこわいなんて……植物だのに、どうしたんだろう。この花ったら、ずいぶん気むずかしいなあ……〉と王子さまは考えました。

この時、王子は花が実は自分を慕っていたことに、まだ気づかなかったのです。

故郷の星を離れた王子は、いくつかの星を回りました。最初に行ったのは自分の威光や体面ばかりを気にする「王様の星」、二番目には自分ほど美しく、立派な服を着ていて、金持ちで、賢い人間はいないと感心する「自惚《うぬぼ》れ男の星」、三番目は酒を呑む自分を忘れるために酒を呑む「呑み助の星」……。

これらの星の住民のだらしない姿に、読む人は呆《あき》れてしまいますが、その姿は人間誰もが持つ負の一面であることにハッと気づかされるはずです。

王子が七番目に訪れたのは地球でした。そこで王子はバラの咲き誇っている庭を見ます。そこには自分が故郷の星で見た一輪の花とそっくりそのままの花が五千ほどもありました。その時、王子は思うのです。

「ぼくは、この世に、たった一つという、めずらしい花を持ってるつもりだった。ところが、じつは、あたりまえのバラの花を、一つ持ってるきりだった。あれと、ひざの高さしかない三つの火山……(中略)……ぼくはこれじゃ、えらい王さまなんかになれようがない…」

王子さまは、草の上につっぷして泣きました。

『星の王子さま』を貫くキーワード

泣いている王子の前に一匹のキツネが現れます。王子は悲しみを紛らわせるために一緒に遊んでほしいと頼みます。するとキツネは「おれ、あんたと遊べないよ。飼いならされちゃいないんだから」と頼みを断り、「〈飼いならす〉って、それ、なんのことだい？」と食い下がる王子の質問に、「〈仲よくなる〉っていうことさ」と答えます。そして、

「あんたが、おれを飼いならすと、おれたちは、もう、おたがいに、はなれちゃいられなくなるよ。あんたは、おれにとって、この世でたったひとりのひとになるし、おれは、あんたにとって、かけがえのないものになるんだよ」

と王子に教えます。

王子とキツネはいろいろな話をするうちに、いつしか本当の仲良しになりました。

しかし、だんだん別れの時間が近づいてきます。別れる前、キツネは王子に、「もう一度、バラの花を見にいってごらんよ。あんたの花が、世のなかに一つしかないことがわかるんだから。それから、あんたがおれにさよならをいいに、もう一度、ここにもどってきたら、おれはおみやげに、ひとつ、秘密をおくりものにするよ」と伝えます。そしてキツネの言葉に促されるようにバラ園に行った王子は、「美しいけど、ただ咲いているだけ」の多くのバラよりも、水をかけ、覆いガラスをかけて風に当たらないようにしてあげた故郷の一輪の花が自分にとってどれだけ大切だったかに気づくのです。

バラ園に行って再びキツネのところに帰ってきた王子にキツネは言います。

「さっきの秘密をいおうかね。なに、なんでもないことだよ。心で見なくちゃ、ものごとはよく見えないってことさ。かんじんなことは、目に見えないんだよ」

「かんじんなことは目に見えない」。——これがこの『星の王子さま』を貫くキーワードです。キツネからこの言葉を聞かされた王子は、「ぼくは、あのバラの花との約束を守らなけりゃいけない」という思いを深くします。

この小説の最後には、王子が「ぼく」と別れて星に帰るシーンがありますが、その時、王子は言います。

「ねえ……ぼくの花……ぼく、あの花にしてやらなくちゃならないことがあるんだ。ほんとに弱い花なんだよ。ほんとにむじゃきな花なんだよ。身のまもりといったら、四つのちっぽけなトゲしか、もってない花なんだよ……」

故郷の星にいた時に心が通わず、地球で最初にバラ園を見た時には他愛もないと思っていた一輪の花の価値に、キツネの言葉を聞いて、王子は教えられました。花が放った嫌な言葉は、実は弱さや愛情の裏返しであり、花は小さなトゲだけで自分を守ろうとした無邪気な存在だと気づくのです。

日常の些細な出来事の中に愛の根源がある

私たちの人生や仕事でも、感情に振り回され、欲得に目が奪われている限り、本当に大切なものは見えてきません。

私の知人でニューヨークに住む女性がいます。娘さんが発達障碍《しょうがい》の一つであるアスペルガー症候群と診断された時、女性はなかなかそれを受け入れることができませんでした。自分が病気の子を育てるなど全《まった》く想定していなかったからです。しかし、何事も飾らずに本音でぶつかってくる娘さんと日々接する中で、女性はお互いの違いを認め合い、大きな心で抱きかかえることを学びました。

そして、本音で関わった分、親子の絆、信頼は他の誰よりも深くなり、濃密な家族の時間を過ごすことができるようになったのです。そこに湧き上がるのは、障碍の有無を大きく超えた「あなたという存在は、ただいてくれるだけでありがたい」という本当の愛情です。王子が一輪の花に対して抱いた思いも、おそらくそのようなものではなかったでしょうか。

「おれたちは、もう、おたがいに、はなれちゃいられなくなるよ。あんたは、おれにとって、この世でたったひとりのひとになるし、おれは、あんたにとって、かけがえのないもの」というキツネのセリフもまた、本当の愛や絆とは何かを教えてくれています。

「一粒の雨の音に心を留めてみよう。そうすれば、人類の歴史に及ぼす自分の人生の意味が分かるだろう」というイエズス会の司祭の言葉があります。

私たちは人生の深い意味を知ることはできません。しかし、一見、平凡にも思える日常の些細《ささい》な出来事を静かに見つめ、その些細な世界が実は掛け替えのないものだと気づいた時、そこに本当の愛を育てる生き方が芽生えてくるのです。一人ひとりがその愛を感じ取る生き方ができるようになった時、この世の中はきっとよくなっていくはずです。

神は最後に
いちばんよい仕事を残してくださる。
それは祈りだ――。

＊……………ヘルマン・ホイヴェルス「最上のわざ」

戦後の日本人の心に寄り添った神父

イエズス会に所属するドイツ人宣教師で、上智大学学長を務めたヘルマン・ホイヴェルス（一八九〇〜一九七七）というカトリック教会の神父がいました。

大正時代、カトリック広島使徒座代理区が新設されるのに伴い、日本に行く修道士の募集が行われました。この時に真っ先に名乗り出たのがホイヴェルス神父でした。ハンブルグ大学で日本語などを学んだ後、一九二三年に来日したのです。

学識豊かな上に人格的に優れた神父で、どん底にあった日本人と寄り添い、真心を尽くしてすさんだ心を開いていきました。

さらに、哲学など高水準の学問を日本に広め、日本の知識層に大きな影響を与えるという、素晴らしい功績を残します。上智大学の基礎を築いたのもホイヴェルス神父でした。

そのホイヴェルス神父の晩年の随想集『人生の秋に』に、「最上のわざ」という短い詩があります。

最上のわざ

この世の最上のわざは何？
楽しい心で年をとり、働きたいけれども休み、しゃべりたいけれども黙り、失望しそうなときに希望し、従順に、平静に、おのれの十字架をになう――。
若者が元気いっぱいで神の道をあゆむのを見ても、ねたまず、人のために働くよりも、けんきょに人の世話になり、弱って、もはや人のために役たたずとも、親切で柔和であること――。

老いの重荷は神の賜物。

古びた心に、これで最後のみがきをかける。

まことのふるさとへ行くために――。

おのれをこの世につなぐくさりを少しずつはずしていくのは、真にえらい仕事――。

こうして何もできなくなれば、それをけんそんに承諾するのだ。

神は最後にいちばんよい仕事を残してくださる。

それは祈りだ――。

手は何もできない。けれども最後まで合掌できる。

愛するすべての人のうえに、神の恵みを求めるために――。

すべてをなし終えたら、臨終の床に神の声をきくだろう。

「来よ、わが友よ、われなんじを見捨てじ」と――。

与えられたものは手放す時が来る

人間は肉体が衰えると、それまで自分のものと思っていたものが一日一日失われていく感覚を抱くようになります。以前は動いていた指が動かなくなってきた、すいすい上れた階段が手摺《てす》りなしには上れなくなってきた、といったことを、おそらくホイヴェルス神父自身もはっきりと感じ取る瞬間があったのでしょう。

それは、生まれた時にできなかったハイハイができるようになり、掴《つか》まっては立ち上がり、転んでまた立ち上がって歩き始めるというように、一つひとつの能力を獲得していくのとは逆の作用です。

私たちは誰でも年齢を重ねると、それまで神様にいただいていたものをお返ししていかなくてはいけないのです。

若い時は、「生きる」とは、自分にあるものをフルに使ってやりたいことをやることだと考えます。しかし、肉体が衰えて体が思うように動かせなくなった時、自分のものと思い込んでいたものが、本当は人間を超える存在から与えられたものであり、借り物に過ぎなかったことに気づくようになるのです。

それは、家族の関係でもいえることです。両親が老いを迎えた時、たとえ介護に手が掛かったとしても、子供たちは「お父さん、お母さんがいてくれるだけでありがたい」という思いで面倒を見ようとすることでしょう。

しかし、介護される親の立場はそうではありません。長年、家族のため、子供たちのためと一所懸命頑張ってきたのに何一つできなくなってしまったもどかしさ、人様のお世話にならなくては生きていけない惨《みじ》めさを思わない人はいないはずです。

たとえ小さいことであっても人のために何かができることは、それだけで勇気が湧いてくるものです。しかし、老いはその勇気さえも取り去ってしまいます。絶望感に駆られるような時があるかもしれません。その時、人はただ黙って死を待つ以外にないのでしょうか。人生に何の意義も見出せず、ただ人の世話になって生きていくほか術《すべ》はないのでしょうか。ホイヴェルス神父の答えははっきりしています。

神は最後にいちばんよい仕事を残してくださる。それは祈りだ。

神父は祈りこそが「最上のわざ」だと言っているのです。神父のいう「最上のわざ」とは、自分の望みとは逆の現象が起きてきた時に、その現象を感謝して受け入れ、その現実の中からベストの選択をしていくことです。

死という、人生にとって最も辛《つら》い局面が目の前に現れた時ですら行うことのできる「祈り」こそは、まさに人間にとっての究極のわざと言えるのかもしれません。

小さなことの積み重ねが物事を成就させる

シスターである私は学生時代、Practiceというものをよく教わりました。日本語に訳せば訓練、練習となります。例えばクリスマスの前や誰かのお祝いの前、三週間、四週間と期間を区切り、相手の幸せを思って小さなことを頑張るのです。

皆がお喋《しゃべ》りをしている時に少し黙る、親切を受けたら素直に感謝の気持ちを表す、人の話に耳を傾けてみる、気持ちが沈んだ時に元気よく歩いてみる……。大きなことでなくても構いません。自分にできる小さなことをカードに書いて、それを約束の期間、きちんと実践します。

私は最近、物事を成就させるコツは決して大きいことをやるのではなく、小さなことの積み重ねであるとしみじみと感じるのですが、Practice の積み重ねは、気づかないうちにその人を高みに持ち上げてくれます。


祈りの習慣もそれと同じです。日常生活の中で「誰かがいま、苦しく悲しい思いをしている」「辛い出来事が起きた」と聞いたならば、直接面識のない相手であったとしても、その人や家族のために「一日も早く心に平安が訪れますように」「元気が出ますように」「希望が湧きますように」と心の中で静かに祈るのは、とても意味のあることです。

祈りとは、報酬を求めない無条件のものであり、子供のために母親が注ぐ無償の愛に通じます。それは年齢や環境、身体の状態にかかわらず、いつでも誰でも実践できることです。そのことを頭の片隅に置き、「そうだ、最上のわざをやろう」と祈る習慣を身につけることができれば、心は必ず静かに、豊かになっていきます。

「生きとし生けるものが幸せでありますように」という素晴らしい仏教の祈りを口癖にするのもいいでしょうし、今回紹介した「最上のわざ」の詩を繰り返し読むだけでも大きな心の支えになることでしょう。

もっとも、嫌な相手のために祈ることはなかなか難しいかもしれません。しかし、親しい家族や仲間、あるいは利害関係のない人のためなら祈ることができます。最初はそれでもいいのです。

祈りは必ず聞き入れられる

私はこれまで祈りの人生を生きてきました。そしていまつくづく実感することがあります。それは、すべての祈りは必ず聞き入れられるということです。

ただ、それは祈ることは必ず実現する、という意味ではありません。祈りは多くの場合、こちらが願ったこととは全《まった》く違った形で聞き入れられるのです。

「ある兵士の祈り」という有名な詩をご存じの方もいらっしゃるでしょう。「金持ちになりたい」と祈っても、お金は与えられないかもしれません。「家族の病気を治してください」と祈ったのに、結果的に亡くなってしまうかもしれません。では、祈りが聞き入れられなかったのかといえば、それは違います。

辛い状況の時はなかなか気づかなくても、時を経て、自分の心に厳しい環境を受け入れられるだけの力、人の弱さや痛みを理解する寛大な心といったものが備わっていると、ふと分かる瞬間が訪れます。それこそが、その人にとって最も必要なものなのです。

随分前のことですが、忘れられない思い出があります。

ある若いご夫婦が沈痛な面持ちで私を訪ねてこられました。一歳に満たないお子さんが重い病気に罹《かか》り、藁《わら》にもすがる思いで相談にこられたのです。

「この子の命をお助けください」「家族に喜びの日が訪れますように」。そう皆で懸命にお祈りしましたが、数日後に亡くなってしまいました。黄疸《おうだん》が出て、私の腕の中で静かに息を引き取っていったその時の感覚は、いまもはっきりと覚えています。

お子さんを囲んで皆が涙を流し悲しみに沈む中、父親がお子さんを抱き上げて、このように言いました。

「この子は一歳足らずの人生でしたが、私たち夫婦と一緒に掛け替えのない時間を過ごしてくれました。もし、この子がいなかったら、私たちの人生は全く違ったものになっていたでしょう。この子は神様のもとに帰って行きましたが、一人の存在がどれだけ大切なものなのか、身にしみて感じています。この子は私たちにその大切なことを教えてくれたのです」

お子さんの死は、若い父親にあることを決断させます。会社員生活をやめて幼稚園の先生になることです。彼は資格を取って、小さな幼稚園に勤め始めました。いまも園児たちとともに歌い、時に園庭でどろんこになって遊びながら、園児一人ひとりに最高の愛情を注ぎ、その成長をまるで我が子のように温かく見守り続けています。そういう彼の魂は最高に輝いています。

神様がなさることは、私たちの小さな頭では考えもつかないものばかりです。しかし、目の前に起こる出来事には必ず深い意味があり、祈りはその意味を感じ取るためのものでもあるのです。

「ごん、お前だったのか。いつも栗をくれたのは。」

ごんは、ぐったりと目をつぶったまま、うなずきました。

＊………新美南吉『ごんぎつね』

孤独だからこそ分かることがある

新美南吉（一九一三～一九四三）の『ごんぎつね』はお子さんからご高齢の方まで日本人によく親しまれている童話です。とても分かりやすくて心揺さぶられるストーリーですが、主人公であるごんと兵十《ひょうじゅう》の心の動きや何気ない行為を通して、人生の深い知恵を読み取ることができます。

ごんはどういう狐だったのか、作者はこう述べています。

ごんは、一人ぼっちの小狐で、しだの一ぱいしげった森の中に穴をほって住んでいました。そして、夜でも昼でも、あたりの村へ出て来て、いたずらばかりしました。はたけへはいって芋をほりちらしたり、菜種《なたね》がらの、ほしてあるのへ火をつけたり、百姓家の裏手につるしてあるとんがらしをむしりとって、いったり、いろんなことをしました。

生きる逞《たくま》しさがあり、頭もよくて寂しさを自分で紛《まぎ》らわせることができる。一方で、子供っぽいやんちゃな面を併せ持っている。そんな姿が描かれています。

ある日、ごんは村人の兵十が川の中に入って魚を捕獲する様子を見て、いたずらを思いつきます。兵十がいなくなった隙に、魚を入れた籠《かご》に近づき、魚を掴《つか》みだしては川をめがけてぽんぽんと投げ込むのです。最後に大きなうなぎに掴みかかったところ、うなぎはごんの首に巻き付いたまま離れようとしません。これを見た兵十は「ぬすと（泥棒）狐め」と怒鳴り立て、ごんは、うなぎが首にまとわりついたまま、遠くに逃げていきました。

十日ほどした時、ごんは村の様子がどこか慌ただしいことに気づきました。誰かが亡くなったようです。葬列の様子を見ると、兵十が白い裃《かみしも》をつけ、位牌を手にしていました。死んだのは兵十の母親でした。

その晩、ごんは、穴の中で考えました。

「兵十のお母は、床についていて、うなぎが食べたいと言ったにちがいない。それで兵十がはりきり網をもち出したんだ。ところが、わしがいたずらをして、うなぎをとって来てしまった。だから兵十は、お母にうなぎを食べさせることが出来なかった。そのままお母は、死んじゃったにちがいない。ああ、うなぎが食べたい、うなぎが食べたいとおもいながら、死んだんだろう。ちょッ、あんないたずらしなけりゃよかった。」

これはごんの空想の世界です。しかし、その空想は兵十の心の内を的確に読み取ったものでした。ごんは何気ないいたずらが兵十を深く悲しませたことを後悔していま す。おそらくごんは独りぼっちであるがゆえに、人のことを思う気持ちがとても強い のでしょう。実際、ごんはそれから兵十の心を慮《おもんぱか》り、いろいろな施しをするように なります。

私たちの人生でも孤独に苛《さいな》まれた時、それまで意識することがなかった他人の苦し みや悲しみを我がことのように感じ取るようになります。それが、その人にとって新 しいよき人生のスタートとなることも少なくないのです。

自他を責めるエネルギーは使わない

自分と同じ一人ぼっちになってしまった兵十を不憫《ふびん》に思ったごんは、ある日、いわ し売りの籠から五、六匹のいわしを掴みだして、兵十の家の中に投げ込みました。

ごんは、うなぎのつぐないに、まず一つ、いいことをしたと思いました。

迷惑を掛けた相手に何か償いをした時に、気持ちが軽くなって安堵《あんど》をする。これは誰もが経験することです。しかし、ごんは後に、兵十がいわしを盗んだ疑いをかけられ、いわし屋に殴られて顔に傷を負ったことを知ります。私たちの人生でもよかれと思ってやったことが、時に思いもしない悪い結果に結びついてしまうのはよくあることです。

そういう時、迷惑を掛けた相手にきちんと謝罪することは大事ですが、同時に心掛けなくてはいけないのは「どうしてあんなことになってしまったのだろう」と自分や他人を責めることにエネルギーを費やさないことです。完璧な人など誰もいません。自分の立場を優先して恨《うら》みもするし、嫌な一面を覗《のぞ》かせたりもする。それが人間誰もが持つ弱さです。

人間の弱さを受け入れた上で、自他を責めようとするエネルギーを、事態をよりよき方向に変えていくエネルギーへと転換していくべきでしょう。

ごんは、これはしまったと思いました。かわいそうに兵十は、いわし屋にぶんなぐられて、あんな傷までつけられたのか。

ごんはこうおもいながら、そっと物置の方へまわってその入り口に、栗をおいてかえりました。

つぎの日も、そのつぎの日もごんは、栗をひろっては、兵十の家へもって来てやりました。そのつぎの日には、栗ばかりでなく、まつたけも二、三ぼんもっていきました。

いつまでも過去に囚《とら》われず、気持ちを切り替えて前に進もうとするごんの姿が伝わってきます。この日からごんは、毎日欠かさず栗や松茸を兵十の家に運び続けました。兵十も誰が運んでくれているのかずっと気になっていましたが、まさかごんの善意だとは思ってもみません。

兵十が同じ百姓の加助とその不思議な出来事を話していた時、加助は唐突に「きっと、そりゃあ、神さまのしわざだぞ」と言い始めました。

「……神さまが、お前がたった一人になったのをあわれに思わっしゃって、いろんなものをめぐんで下さるんだよ。」

「そうかなあ。」

「そうだとも。だから、まいにち神様にお礼を言うがいいよ。」

「うん。」

ごんは、へえ、こいつはつまらないなと思いました。おれが、栗や松たけを持っていってやるのに、そのおれにはお礼をいわないで、神さまにお礼をいうんじゃァおれは、引き合わないなあ。

そのあくる日もごんは、栗をもって、兵十の家へ出かけました。

ここはとても興味深い場面です。

内緒でやっているとはいえ、自分の存在に全《まった》く気づく様子のない兵十にごんは腹を立てています。愛することの反対は無視されることといいますが、ごんもまた「自分がしてあげたのに」という思いが込み上げて傷ついたに違いありません。

しかし、面白いことにごんはその明くる日もいつもと同じように栗を持って兵十の家に行くのです。間尺《ましゃく》に合わないと思いつつも、寂しい思いをしている兵十を放ってはおけなかったのでしょう。兵十の立場に自分を置くことで恨みや葛藤を乗り越えるごんの姿に、私たちは大切なことを教えられます。

大切な人に愛と感謝の思いを伝え合う

『ごんぎつね』の最後は、裏口からこっそり家の中に入ったごんが兵十に見つかり、火縄銃で撃たれてしまう場面です。

そして足音をしのばせてちかよって、今戸口を出ようとするごんを、ドンと、うちました。ごんは、ばたりとたおれました。兵十はかけよって来ました。家の中を見ると土間に栗が、かためておいてあるのが目につきました。

「おや。」と兵十は、びっくりしてごんに目を落としました。

「ごん、お前だったのか。いつも栗をくれたのは。」

ごんは、ぐったりと目をつぶったまま、うなずきました。

悲しい結末ですが、兵十はようやくごんの真心に気づき、和解することができました。

この童話を通して兵十とごんが伝えてくれているのは、完全な善人でいることができない人間がその弱さや誤解、葛藤などを乗り越えて相手を思いやる力を発揮していく素晴らしさです。

ごんは自分に銃を向けた兵十に対して恨みを抱くことはありませんでした。兵十にはごんを殺してしまったことへの後悔の思いが続いたことでしょう。しかし、そこで生まれた友情は兵十の心の種火となって、その後の生きていく力になったに違いありません。

人生を締め括《くく》るに当たっての、死者と生者のかけがえのない和解のひと時。これを私は「仲良し時間」と呼んでいます。私たち人間は死が近づいてくると、人生で縁のあった人たちへの感謝や相手を大切に思う気持ちを表現せずにはいられなくなるといいます。病床で気力すらなかった人たちが苦しい息の底から「いい家族が与えられて幸せだった」「皆のおかげだ。ありがとう」と口にしたり、意識がなかった人が微笑みかけたり、表現は人それぞれですが、愛と感謝の思いを伝えようとします。

ごく希《まれ》にご飯を口にしなかった寝たきりの方が起き上がって家族と食事を共にすることがあります。ニッコリと笑う姿を見て家族は「元気になった。これで治るかもしれない」と思ってしまうのですが、これも「仲良し時間」の一つのケースです。

いずれのケースにしろ、後で振り返ってあの時が「仲良し時間」だったのだ、と気づくことが多く、最期に大切な時間を共有することによって様々なわだかまりや恨みが解消されていくのです。

このように述べると「仲良し時間」に気づかなかったことを後悔する方がいらっしゃるかもしれません。そういう時は、小さなことであったとしても相手が自分にしてくれたことを思い出し、感謝する習慣を意識して身につけてください。知らないうちに心が優しくなり、清められていくことでしょう。見えざる存在が生きている人の絆や愛を深めてくれるのです。

しかし、お互いが元気なうちに、愛と感謝を伝え合う生活を送ることができたら、これほど素晴らしいことはありません。ごんが毎日少しずつ栗を運んだように、身近な人たちに対して自分にできる小さい努力を重ねることはその人の人間らしさを増し、豊かな人生へと導いてくれることでしょう。

あとがき

この本は月刊『致知《ちち》』で長年連載を続けている「人生を照らす言葉」の中から、特にいまご紹介したい名作を選んで一冊に纏《まと》めたものです。

連載では日本の近代文学を中心に、国内外の小説や詩など様々な作品を取り上げ、その時その時私なりに感じる世界をお伝えしてきました。ありがたいことに読者の皆様からは毎月大きな反響をいただき、講演先などでは「『致知』を楽しみに読んでいます」「大きな力をいただいています」とたくさんの方に声を掛けていただきます。私はその途端、その人と長年親しくしてきたかのような感じを味わうのです。この本にはそういうお一人おひとりへの思いも込めました。

私たちの取り巻く現実には、自然界を含め、あらゆる面で急速で、大きな変化のうねりが押し寄せてきています。ここでご紹介した二十二篇の名作にはそういう時代と向き合いながら、人間が魂を磨き成長を遂げる知恵が鏤《ちりば》められています。この本がそのための一つの道しるべになれば幸いです。

なお、本書には、東日本大震災のすぐ後やコロナの渦中で綴《つづ》られたものも多く、時勢を反映した記述もありますが、人間が生きる上で大切なことの本質は変わらないものがあると考え、原則として『致知』掲載当時のままとしました。

この度の出版を企画してくださった致知出版社の藤尾秀昭社長、長年私の担当編集者を務めてくださる致知編集部の江口元浩さん、出版に何かとお骨折りいただいた書籍編集部の小森俊司さんに心からの感謝の意を表します。

令和六年一月

鈴木秀子

【初出一覧】

※いずれも月刊『致知』の掲載号を記載

第一章　悲しみの底に光がある

斎藤茂吉『赤光』……2013年1月号
中野重治『菊の花』……2017年7月号
ビョルンソン『父親』……2016年11月号
坂村真民「鳥は飛ばねばならぬ」……2020年7月号

第二章　生かされて生きている

森鷗外『高瀬舟』……2011年10月号
芥川龍之介『鼻』……2018年2月号
土井晩翠『荒城の月』……2020年5月号
ギ・ド・モーパッサン『首飾り』……2020年10月号

宮沢賢治『なめとこ山の熊』……2017年10月号

第三章　よりよき人生の心得

安岡章太郎『サアカスの馬』……2012年7月号
志賀直哉『清兵衛と瓢簞』……2015年9月号
レフ・トルストイ『イワンの馬鹿』……2020年4月号
三好達治『裾野』……2013年1月号
井伏鱒二『山椒魚』……2021年6月号

第四章　心をひらく

夏目漱石『こころ』……2014年9月号
川端康成『伊豆の踊子』……2018年6月号
ドロシー・ロー・ノルト「心をひらこう」……2019年2月号

カリール・ジブラン『預言者のことば』……2020年3月号

第五章　誰かのために　―愛と祈り―

オスカー・ワイルド『幸福の王子』……2016年3月号
サン＝テグジュペリ『星の王子さま』……2016年4月号
ヘルマン・ホイヴェルス「最上のわざ」……2016年8月号
新美南吉『ごんぎつね』……2022年12月号

〈著者略歴〉

鈴木秀子（すずき・ひでこ）

文学博士。東京大学大学院人文科学研究科博士課程修了。聖心女子大学教授を経て、現在国際文学療法学会会長、聖心会会員。日本にエニアグラムを紹介。『悲しまないで、そして生きて』（グッドブックス）『心がラクになる新約聖書の教え』（宝島社）など著書多数。

名作が教える幸せの見つけ方

令和六年二月二十日第一刷発行

著者　鈴木　秀子

発行者　藤尾　秀昭

発行所　致知出版社

〒150-0001　東京都渋谷区神宮前四の二十四の九

TEL（〇三）三七九六―二一一一

印刷・製本　中央精版印刷

落丁・乱丁はお取替え致します。　（検印廃止）

ISBN978-4-8009-1301-2 C0095

ホームページ　https://www.chichi.co.jp

Eメール　books@chichi.co.jp

人間力を高める致知出版社の本

1日1話、読めば心が熱くなる 365人の仕事の教科書

◉

藤尾　秀昭 監修

◉

365 人の感動実話を掲載したベストセラー。
1日1ページ形式で手軽に読める

◉A5判並製　◉定価＝2,585円（10% 税込）

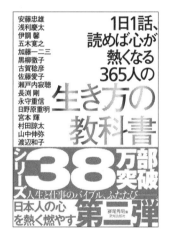